SIMPLEMENT
SANS GLUTEN
NI PRODUITS LAITIERS

SIMPLEMENT
SANS GLUTEN
NI PRODUITS LAITIERS

PETITS DÉJEUNERS • DÉJEUNERS • GÂTERIES • DÎNERS • DESSERTS

GRACE CHEETHAM

Traduit de l'anglais par
Patricia Guekjian

A•D•A
éditions

Éditeur : François Doucet
Traduction : Patricia Guekjian
Révision linguistique : Féminin pluriel
Correction d'épreuves : Éliane Boucher, Carine Paradis,
Nancy Coulombe
Copyright des photographies : © 2011 Duncan Baird
Publishers
Photographie de l'auteure : © Uzma Taj
Photographie de la couverture : William Lingwood
Styliste culinaire : Bridget Sargeson
Styliste des accessoires : Rachel Jukes
Montage de la couverture : Sylvie Valois
Mise en pages : Sylvie Valois
ISBN : 978-2-89667-747-4
Première impression : 2013
Dépôt légal : 2013
Bibliothèque et Archives nationales du Québec
Bibliothèque Nationale du Canada

Éditions AdA Inc.
1385, boul. Lionel-Boulet
Varennes, Québec, Canada, J3X 1P7
Téléphone : 450-929-0296
Télécopieur : 450-929-0220
www.ada-inc.com
info@ada-inc.com

Diffusion
Canada :   Éditions AdA Inc.
France :   D.G. Diffusion
                Z.I. des Bogues
                31750 Escalquens — France
                Téléphone : 05.61.00.09.99
Suisse :   Transat — 23.42.77.40
Belgique :   D.G. Diffusion — 05.61.00.09.99

Participation de la SODEC.

Nous reconnaissons l'aide financière du gouvernement
du Canada par l'entremise du Fonds du Livre du Canada
(FLC) pour nos activités d'édition.
Gouvernement du Québec — Programme de crédit d'impôt
pour l'édition de livres — Gestion SODEC.

**À la douce mémoire de Pa, qui était
le plus merveilleux des pères.**

Imprimé en Chine

Note de l'éditeur : Bien que toutes les précautions aient
été prises lors de la compilation des recettes pour ce
livre, Duncan Baird Publishers, Éditions AdA Inc. et
toute autre personne ayant pris part à cette publication
n'acceptent aucune responsabilité pour toute erreur ou
tout oubli, involontaire ou non, qui pourrait se trouver
dans les recettes ou dans le texte, ni pour tout problème
qui pourrait survenir comme résultat de la préparation
de l'une de ces recettes. Si vous êtes enceinte ou allaitez,
ou avez des exigences alimentaires particulières ou
une affection médicale, il est préférable de consulter un
professionnel médical avant de réaliser toute recette
contenue dans le présent livre.

Remarques concernant les recettes
À moins d'indication contraire :
Utiliser des œufs, des fruits et des légumes de taille
moyenne. Utiliser des ingrédients frais, y compris les
herbes et les épices. Ne pas mélanger les mesures métri-
ques et impériales :
1 c. à thé = 5 ml, 1 c. à soupe = 15 ml, 1 tasse = 250 ml

Remerciements de l'auteure
Un énorme merci à tous ceux et celles qui ont travaillé
pour produire ce magnifique livre, et surtout à ma rédac-
trice extraordinaire, Nicole ; mon « américaniseuse »,
Beverly ; Suzanne, pour la conception ; William, pour ses
photographies ; Bridget, pour son stylisme culinaire. De
gros mercis aussi à Uzma, pour ma photo d'auteure, et
à Duncan, Bob, et Roger, l'équipe des ventes. Je n'aurais
pu écrire ce livre sans la patience et le soutien de mon
merveilleux mari et de ma superbe fille, Peter et Zoë, qui
illuminent mes jours, et qui ont supporté mon écriture et
mes tests jusqu'à des heures tardives les nuits et toutes
les fins de semaine, et qui ont goûté à tout pour moi.

Numéro de licence cœliaque aux R.-U.: CUK-M-141

Symboles

 SANS GLUTEN
Ne contient aucun grain ou produit de grain à base de gluten, y compris le blé, l'orge, le seigle, l'avoine, l'épeautre, le kamut, le triticale, le son de blé, le son d'avoine et le sirop de malt d'orge.

 SANS PRODUITS LAITIERS
Ne contient aucun lait, fromage, crème, yogourt, beurre ou autres produits laitiers de vache, de chèvre ou de mouton.

 SANS LEVURE
Ne contient aucun ingrédient contenant de la levure ajoutée, y compris les pains au levain et à base de levure, tous les vinaigres, le vin, la bière et autres breuvages alcoolisés, l'extrait de levure, la « Marmite » (pâte à tartiner à base d'extraits de levure), la sauce tamari et le miso.

 SANS SOJA
Ne contient aucun produit de soja, y compris des haricots de soja, du lait de soja, du yogourt de soja, de la crème de soja, du fromage de soja, le tofu, le tempeh, la sauce soja et les margarines à base de soja.

 SANS ŒUFS
Ne contient aucun œuf ni produit de l'œuf.

 SANS NOIX
Ne contient aucune noix (amandes, noix du Brésil, cajous, châtaignes, noix de coco, noisettes, noix de macadamia, arachides, pacanes, pignons, pistaches et noix de Grenoble) ni huile de noix.

 SANS GRAINES
Ne contient aucune graine (graines de chanvre, graines de lin, graines de citrouille, graines de sésame et graines de tournesol) ou huile de graines, y compris l'huile végétale et les margarines à base de graines.

 SANS AGRUMES
Ne contient aucun agrume ni zeste d'agrume, y compris les oranges, les pamplemousses, les citrons, les limes, les clémentines, les mandarines Satsuma et les tangerines.

 **VÉGÉTARIEN**
Ne contient aucune viande, volaille, gibier, poisson, fruit de mer ou produit dérivé d'animaux. Peut inclure des œufs ou du miel.

Table des matières

Introduction

La nourriture est une partie merveilleuse et enrichissante de la vie de la plupart des gens. Mais pour ceux qui sont atteints de la maladie cœliaque, qui ont des allergies ou des intolérances, elle peut ressembler davantage à un cauchemar. Lorsque l'on m'a donné le diagnostic d'intolérances alimentaires, je me suis sentie comme si les aliments auxquels je réagissais étaient devenus des poisons et que le monde culinaire tout entier était devenu un endroit hostile. Apprendre à adapter mon régime a pris du temps, mais une fois que j'ai appris à faire des repas auxquels je n'avais aucune réaction, ma relation avec la nourriture a pris un nouveau tournant. J'ai accepté les changements et j'ai recommencé à aimer la nourriture.

J'ai découvert des ingrédients qui servent de choix alternatifs au gluten et aux produits laitiers, ainsi que d'autres qui sont naturellement exempts de gluten et de produits laitiers. J'ai appris comment utiliser des farines, des grains, des laits, des fromages et des yogourts différents, et j'ai découvert de nouvelles façons de leur ajouter de la saveur et du goût.

Tandis que ma vie devenait de plus en plus remplie, j'ai appris comment intégrer mon régime à ma routine quotidienne, à faire des plats que je pouvais facilement apporter au travail, lors de mes déplacements ou même avant une sortie. Ensuite, vint la naissance de ma fille, Zoë. J'ai dû trouver des façons de faire des recettes aussi rapidement et simplement que possible.

J'ai écrit ce livre en espérant que les recettes vous inspireront à retomber en amour avec la nourriture. J'ai inclus des mets du monde entier, dont plusieurs emploient des ingrédients alternatifs pour créer des versions sans gluten et sans produits laitiers des mets classiques. Il y a des recettes qui conviennent à tous les aspects de votre vie quotidienne : des petits déjeuners que vous pouvez manger sur le pouce, des déjeuners à emporter, des dîners que vous pouvez réaliser pour vos amis et votre famille et de succulentes gâteries à déguster à tout moment. Le plus important, cependant, est que j'ai basé ce livre sur la simplicité. Vous y trouverez des recettes sans souci comportant des ingrédients qui s'agencent brillamment et des techniques qui donneraient des frissons aux cuisiniers puristes ! Essayez la Brioche aux pêches caramélisées ou le Saumon en croûte, par exemple, à l'aide d'un robot culinaire qui fera tout le travail pour vous ; ainsi, vous n'aurez pas à prendre le temps de pétrir la pâte ou la pâtisserie. Passez des noix de cajou dans un mélangeur pour faire une crème qui accompagnera le Tikka Masala au poulet ou la Pannacotta aux fraises. Utilisez un batteur à main pour faire la croûte de l'Agneau en croûte d'herbes et d'olives ou le mélange pour un Gâteau d'anniversaire au chocolat.

Pour moi, la cuisine est comme de l'alchimie — on prend des ingrédients et l'on en fait un plat qui nous nourrit sur le plan physique et émotionnel. On peut emplir son organisme de nutriments, rehausser son système immunitaire, son énergie et sa vitalité, l'aider à se soulager de symptômes et commencer à s'autoguérir. Puis, on n'a qu'à se détendre et à déguster chaque délicieuse bouchée des merveilleux goûts, textures et arômes que l'on a créés.

Calmars au sel et au poivre, page 64 >

POUR COMMENCER

Cela vaut vraiment la peine de faire ses provisions de plusieurs ingrédients différents, pour que vous les ayez en main lorsque vous serez prêt à cuisiner. Remplissez votre garde-manger de pâtes sans gluten, de nouilles, de polenta et de différents types de riz. Vous pouvez facilement acheter des pâtes spirales (fusillis), des pâtes plumes (pennes), des spaghettis et des pâtes à lasagne faits de maïs ou de riz. Vous trouverez aussi de merveilleuses variétés de nouilles de riz minces ou larges, ainsi que des nouilles faites exclusivement de sarrasin et des nouilles cellophanes faites de haricots mungo. Faites aussi vos provisions de produits alternatifs sans produits laitiers, comme la margarine faite d'huiles végétales ou de soja, les yogourts de soja, le fromage à la crème de soja et les fromages de soja. Ils sont très utiles, et la plupart d'eux peuvent être conservés un bon moment au réfrigérateur.

Pour la plupart des recettes de pâtisserie, j'ai utilisé un mélange de farines de riz, de « gram » (aussi appelé « farine de pois chiche » ou « besan ») et de farines de maïs parce qu'elles sont faciles à trouver et qu'elles se combinent bien en ce qui concerne la saveur et la consistance). J'ai aussi ajouté de la farine de pomme de terre aux pains pour s'assurer que ces derniers ne sont pas secs comme certaines versions sans gluten. Je vous montre aussi comment utiliser d'autres farines, pour que vous puissiez découvrir comment travailler avec les saveurs et les textures différentes, et en retirer un maximum de bienfaits nutritionnels. Pour les Crêpes au sarrasin et aux bleuets, par exemple, j'ai employé de la farine au sarrasin au goût de noix, mais j'y ai ajouté des bleuets sucrés et du miel, pour faire vibrer les saveurs. Pour le Gâteau d'anniversaire au chocolat, j'ai ajouté de la farine de châtaigne, laquelle a des propriétés liantes, mais son goût distinctif peut parfois envahir les autres saveurs. Dans cette recette, cependant, elle convient parfaitement au chocolat riche et sucré et aux framboises à douceur acidulée. Pour le Gâteau aux fruits si richement sucré, j'ai utilisé de la farine de quinoa, et j'ai masqué son goût marqué avec un assortiment de fruits séchés et d'amandes moulues.

Le quinoa est un ingrédient très nutritif. Je me suis servie de ses flocons dans le Granola aux abricots, aux canneberges et aux baies de goji aux saveurs de noix et de fruits (contrairement aux flocons de sarrasin dans le Musli) et le grain entier dans les Légumes rôtis et quinoa, une recette qui démontre combien il est à son meilleur jumelé à des saveurs robustes et intenses.

L'amarante est un autre aliment merveilleux à ajouter à votre garde-manger. Ce grain date de l'époque des Aztèques et des Incas, et peut servir d'alternatif au couscous, comme dans les Galettes d'agneau avec amarante aux grenades. C'est aussi un très bon agent gonflant dans le mélange utilisé pour l'Agneau en croûte d'herbes et d'olives, et il procure une texture bien croustillante à la croûte.

Les noix de cajou servent à faire du lait et de la crème fantastique. Leur texture est onctueuse et crémeuse, et le goût de noix est très subtil, ce qui leur donne une grande polyvalence. Vous en retrouverez dans la version sans produits laitiers du Tikka Masala au poulet, ainsi que dans la Pannacotta aux fraises et dans le glaçage utilisé pour le Gâteau d'anniversaire au chocolat.

Les amandes sont un classique des ingrédients sans gluten et font partie de plusieurs cuisines autour du monde. Moulues en farine, elles procurent une texture moelleuse et un goût sucré aux pâtisseries et une texture légère au Gâteau aux amandes. Elles servent aussi de superbe substitut sans produits laitiers. Tout comme les noix de cajou, vous pouvez en faire du lait délicieusement crémeux ou de la crème dans votre robot culinaire ou dans votre mélangeur. Par exemple, vous pourriez faire l'irrésistible Crème aux amandes pour étaler sur le Gâteau aux amandes.

Le lait de noix de coco s'est enfin défait de sa mauvaise réputation et se présente maintenant fièrement comme choix alternatif sans produits laitiers. Bien qu'il contienne des gras saturés, on reconnaît maintenant que ces gras sont différents de ceux contenus dans la viande et qu'au lieu d'être stockés comme graisses dans notre organisme, ils peuvent fournir une très bonne source d'énergie pour soutenir le système immunitaire. De plus, grâce au grand nombre de vitamines que le lait de noix de coco renferme, vous pourrez déguster la Soupe au poulet et à la noix de coco ou le Cari aux crevettes et à la courge musquée sans aucune culpabilité.

Il en vaut aussi la peine de s'assurer de toujours avoir de la sauce tamari sans gluten, ainsi que des bouillons déshydratés sans gluten et sans produits laitiers, de la levure chimique sans gluten et des édulcorants à indice glycémique bas, comme le fructose, le xylitol ou le sirop d'agave. Procurez-vous aussi de la gomme xanthane, maintenant disponible un peu partout. Elle est excellente pour lier les produits de pâtisserie sans gluten. Assurez-vous d'avoir de la farine de maïs pour épaissir les soupes, les ragoûts, les sauces et les garnitures, et aussi pour créer des enrobages croustillants, comme pour les Calmars au sel et au poivre.

Pour varier la farine de maïs, je me sers aussi du kuzu, un ingrédient fait de la racine d'une plante japonaise. Lorsqu'on l'ajoute au Bœuf mijoté, par exemple, il donne une sauce onctueuse. J'utilise aussi des flocons d'agaragar, au lieu de gélatine. Ces flocons, qui proviennent des légumes de mer, sont un aliment de base dans plusieurs cuisines asiatiques.

Les légumes de mer sont merveilleux. Ils ajoutent une touche exotique à tout mets, comme le Sauté d'aramé et de cajous, en plus de faire exploser la valeur nutritive des mets. Ajoutez du kombu aux Nouilles soba au sarrasin avec tofu et miso, et vous créerez un bouillon hautement nutritif.

J'ai aussi utilisé des ingrédients un peu plus inhabituels, comme la pâte d'umeboshi dans le Canard aux prunes, de la mélasse de grenade dans la Trempette aux haricots cannellini, les Galettes d'agneau avec amarante aux grenades et les Barres de fruits aux figues et aux dattes. Ces produits nutritifs ajoutent une délicieuse profondeur de saveur aux recettes dans lesquelles on les inclut. En plus des recettes très saines, j'ai aussi inclus beaucoup de gâteries. Il faudrait peut-être s'en tenir à un minimum de recettes sucrées, si vous surveillez votre consommation de sucre, mais si vous vous laissez tenter à l'occasion, je voulais m'assurer d'inclure plusieurs choix. Vous pourrez choisir des petits déjeuners qui vous donneront envie de vous lever le matin ; des pains briochés, des gâteaux et des tartes qui égaieront votre journée ; des desserts véritablement décadents. La plupart d'entre eux contiennent beaucoup moins de sucre que les recettes conventionnelles, et plusieurs contiennent des nutriments supplémentaires. Par exemple, les figues dans les Biscuits au chocolat et aux figues contiennent de grandes quantités de calcium, de potassium et de fibres alimentaires. Les pommes empilées sur le Gâteau aux pommes sont riches en fibres solubles et insolubles, ce qui allège les problèmes de digestion et aide à désintoxiquer votre organisme.

Lorsqu'il s'agit d'outils, essayez les poêles à frire antiadhésives sans PTFE, car elles ne libèrent pas de toxines, surtout lors de la friture à température élevée. Un robot culinaire et un mélangeur, ainsi qu'un petit robot culinaire ou un moulin à épices sont aussi des outils essentiels. Utilisez-les pour réduire votre temps et l'effort requis pour réaliser les recettes — et pour tricher, là où c'est possible ! Je trouve qu'il est utile de les laisser sur le comptoir de cuisine. Sans même avoir à y penser, je peux rapidement hacher de petits ingrédients, comme les piments forts, sans parler des articles qui prennent plus de temps ou qui sont plus coriaces, comme les noix ou la citronnelle. Eh oui, quel plaisir que de pétrir de la pâte dans un robot culinaire au lieu de le faire à la main !

Cuisiner avec la farine sans gluten peut être salissant ! J'obtiens de meilleurs résultats lorsque la pâte comporte plus de liquide que la pâte traditionnelle, mais ceci signifie que la pâte est beaucoup plus collante. Les pâtisseries faites de farines sans gluten brûlent aussi plus facilement, donc je les recouvre de papier ingraissable ou de papier sulfurisé. Ne vous inquiétez pas, j'ai donné des instructions étape par étape dans les recettes, pour montrer comment manipuler les différentes pâtes.

AIDER VOTRE ORGANISME À GUÉRIR

Si vous êtes atteint de maladie cœliaque et devez éviter le gluten, ou que vous souffrez d'autres affections comme l'eczéma, l'asthme, les migraines, la nausée, les vomissements, les gonflements, les problèmes d'intestin, le syndrome du côlon irritable (SCI), le syndrome de fatigue chronique (SFC ou EM) ou la dépression, vous avez sûrement remarqué que certains aliments aggravent votre état et que d'éviter ces aliments aidera énormément. Vos symptômes disparaîtront, et vous commencerez à vous sentir beaucoup mieux. Toutefois, les réactions à long terme de votre organisme ont peut-être déjà eu des effets très débilitants. Vos niveaux d'adrénaline ont peut-être été élevés, ce qui inflige un stress au système immunitaire. Votre digestion ne se faisait peut-être pas bien, et vous n'assimiliez pas bien les

nutriments. Il est donc essentiel de reconstituer les réserves de vitamines, de minéraux, d'éléments phytochimiques et d'autres nutriments de votre organisme, pour qu'il puisse commencer à s'autoguérir.

Achetez des aliments biologiques, lorsque c'est possible, surtout les viandes, les poissons et les œufs, et mangez des aliments purs et naturels. Évitez les additifs et les agents de conservation, et lisez les étiquettes pour savoir ce qui se trouve dans les aliments que vous achetez. Par exemple, recherchez des jambons sans nitrates et des abricots séchés non soufrés.

Mangez des montagnes de fruits et de légumes frais, préférablement de provenance locale et en saison, car leurs niveaux de nutriments seront supérieurs et leur goût sera bien meilleur. Faites le plein de haricots et de légumineuses riches en protéines et en fibres, comme les lentilles vertes du Puy, les pois chiches, les haricots de Lima et les cannellini. Ajoutez des noix entières ou moulues à vos repas tout au cours de la journée, surtout aux jus et aux boissons frappées, aux mélanges de musli, aux salades, aux sautés, aux pains briochés, aux gâteaux et aux desserts. Choisissez des huiles stables, comme l'huile d'olive, de colza (canola) ou de carthame, puis ajoutez-y des acides gras essentiels, surtout les oméga-3, à l'aide de poissons gras, de noix de Grenoble, de graines de chanvre et de graines de lin. Buvez des tisanes et de l'eau aussi souvent que possible.

UN PEU PLUS HAUT, UN PEU PLUS LOIN

Par-dessus tout, les recettes dans ce livre sont là pour être appréciées. Dégustez-les avec votre famille et vos amis, et découvrez des ingrédients et des mets que vous aimerez — qu'il s'agisse d'une collation rapide, d'un repas santé ou d'un festin véritablement magique.

Pouding d'été, page 159 >

Recettes de base

Sauce blanche

Donne **environ 650 ml/22 oz liq/2⅔ tasses** Préparation **5 minutes** Cuisson **20 minutes**

40 g/1½ oz de margarine sans produits laitiers

30 g/1 oz/¼ tasse rase de farine de riz

22,5 ml/1½ c. à soupe de farine de pois chiche

22,5 ml/1½ c. à soupe de farine de maïs

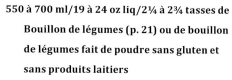

550 à 700 ml/19 à 24 oz liq/2¼ à 2¾ tasses de
Bouillon de légumes (p. 21) ou de bouillon
de légumes fait de poudre sans gluten et
sans produits laitiers

sel de mer et poivre noir fraîchement moulu

1 Faire fondre la margarine sans produits laitiers dans une casserole à fond épais à feu doux. Incorporer les farines en remuant. Retirer la casserole du feu et ajouter graduellement 375 ml/13 oz liq/1½ tasse du bouillon en remuant sans arrêt jusqu'à l'épaississement. Ajouter graduellement 175 ml/6 oz liq/¾ tasse du bouillon restant. Si des grumeaux se forment dans la sauce, battre avec un fouet jusqu'à une consistance lisse.

2 Baisser le feu et laisser mijoter doucement 10 minutes en remuant souvent pour empêcher la sauce de coller à la casserole. Incorporer graduellement le restant du bouillon, au besoin, pour faire une sauce onctueuse, mais qui coule bien. Saler et poivrer légèrement.

Sauce aux tomates et aux poivrons rôtis

Donne **environ 1,25 l/44 oz liq/5 tasses** Préparation **5 minutes** Cuisson **30 minutes**

3 poivrons rouges, orange ou jaunes, coupés en
quartiers et épépinés

10 tomates, coupées en 2

1 gros oignon, pelé et coupé en quartiers

45 ml/3 c. à soupe d'huile d'olive

2 gousses d'ail

sel de mer et poivre noir fraîchement moulu

1 Préchauffer le four à 180 °C/350 °F/gaz 4. Mettre les poivrons, les tomates et l'oignon sur 2 plaques à pâtisserie et arroser de l'huile d'olive. Cuire 10 minutes. Ajouter l'ail et poursuivre la cuisson 20 minutes jusqu'à ce que le tout soit tendre et commence à dorer.

2 Transférer dans un mélangeur et rendre en purée. Saler et poivrer légèrement.

Crème anglaise

Donne **environ 500 ml/17 oz liq/2 tasses**   Préparation **5 minutes**   Cuisson **20 minutes**

500 ml/17 oz liq/2 tasses de lait de soja
15 ml/1 c. à soupe de farine de maïs
5 jaunes de gros œufs

100 g/3½ oz/½ tasse rase de fructose ou de
  sucre semoule
5 ml/1 c. à thé d'extrait de vanille

1 Faire chauffer le lait de soja dans une casserole à fond épais à feu doux juste sous le point d'ébullition. Pendant que le lait de soja se réchauffe, mélanger la farine de maïs et 15 ml/1 c. à soupe d'eau dans un grand bol, pour faire une pâte onctueuse. Ajouter les jaunes d'œuf et le sucre et fouetter jusqu'à l'épaississement. Ajouter le lait chaud graduellement et remuer pour bien mélanger.

2 Verser le mélange dans une casserole propre. Ajouter l'extrait de vanille et cuire à feu doux, en remuant fréquemment, de 10 à 15 minutes jusqu'à ce que la crème anglaise soit épaisse. Prendre soin de ne pas surchauffer, sinon la crème anglaise pourrait tourner. Si cela arrive, battre au fouet jusqu'à la consistance onctueuse.

Crème de noix de cajou

Donne **environ 650 ml/22 oz liq/2⅔ tasses**
Préparation **10 minutes, plus au moins 12 heures de trempage**

300 g/10½ oz/2 tasses de noix de cajou

1 Mettre les noix dans un bol, les recouvrir d'eau froide et laisser tremper à la température ambiante toute la nuit ou au moins 12 heures.

2 Égoutter et bien rincer les noix, puis les mettre dans un mélangeur. Ajouter 250 ml/9 oz liq/1 tasse d'eau et mélanger 10 minutes ou jusqu'à la consistance lisse.

Pain blanc

Donne **1 pain (environ 16 tranches)**   Préparation **15 minutes, plus 30 minutes de levée**
Cuisson **50 minutes**

120 g/4¼ oz/⅔ tasse de farine de pomme de terre

50 g/1¾ oz/½ tasse rase de farine de pois chiche

50 g/1¾ oz/⅓ tasse de farine de maïs

150 g/5½ oz/¾ tasse comble de farine de riz

5 ml/1 c. à thé de sel de mer

5 ml/1 c. à thé de fructose ou de sucre semoule

5 ml/1 c. à thé de levure chimique sans gluten

5 ml/1 c. à thé de gomme xanthane

15 ml/1 c. à soupe de levure sèche active

30 ml/2 c. à soupe d'huile d'olive

margarine sans produits laitiers, pour graisser

1 Tamiser les farines, le sel, le sucre, la levure chimique sans gluten, la gomme xanthane et la levure sèche dans le bol d'un robot culinaire doté de l'accessoire à pâte. Mélanger pour combiner. Ajouter l'huile d'olive et mélanger de nouveau. Ajouter 400 ml/14 oz liq/1⅔ tasse d'eau tiède et mélanger 10 minutes pour aérer la pâte ; elle sera collante.

2 Transférer la pâte dans un bol, couvrir de pellicule plastique et laisser lever 30 minutes.

3 Préchauffer le four à 200 °C/400 °F/gaz 6. Graisser légèrement un moule à pain de 450 g/1 lb avec la margarine sans produits laitiers. Déposer la pâte dans le moule et lisser la surface avec le dos d'une cuillère en métal.

4 Enfourner de 45 à 50 minutes jusqu'à ce que le pain soit brun doré. Sortir le pain du moule et frapper le dessous ; s'il émet un son creux, il est cuit. Sinon, remettre le pain dans le moule et poursuivre la cuisson 5 minutes ; tester à nouveau, pour voir s'il est prêt. Transférer sur une grille et laisser refroidir.

Recettes de base

Focaccia au romarin

Donne **1 pain (environ 10 morceaux)**   Préparation **15 minutes, plus 30 minutes de levée**
Cuisson **50 minutes**

120 g/4¼ oz/⅔ tasse de farine de pomme de terre

50 g/1¾ oz/½ tasse rase de farine de pois chiche

50 g/1¾ oz/⅓ tasse de farine de maïs

150 g/5½ oz/¾ tasse comble de farine de riz

5 ml/1 c. à thé de sel de mer, broyé, plus pour garnir

5 ml/1 c. à thé de gomme xanthane

15 ml/1 c. à soupe de levure sèche active

60 ml/4 c. à soupe d'huile d'olive, plus pour graisser

une poignée de feuilles de romarin, hachées

1   Tamiser les farines, le sel, la gomme xanthane et la levure dans le bol d'un robot culinaire doté de l'accessoire à pâte. Mélanger pour combiner. Ajouter 45 ml/3 c. à soupe de l'huile d'olive et mélanger de nouveau. Ajouter 400 ml/14 oz liq/1⅔ tasse d'eau tiède et mélanger 10 minutes pour aérer la pâte ; elle sera collante.

2   Transférer la pâte dans un bol. Couvrir de pellicule plastique et laisser lever 30 minutes.

3   Préchauffer le four à 200 °C/400 °F/gaz 6 et graisser légèrement d'huile d'olive un moule à gâteau de 20 cm/8 po. Déposer la pâte dans le moule et lisser la surface avec le dos d'une cuillère en métal. Arroser la pâte du reste de l'huile d'olive et parsemer du romarin et du sel.

4   Enfourner de 45 à 50 minutes jusqu'à ce que le pain soit brun doré. Sortir le pain du moule et frapper le dessous ; s'il émet un son creux, il est cuit. Sinon, remettre le pain dans le moule et poursuivre la cuisson 5 minutes ; tester à nouveau, pour voir s'il est prêt. Transférer sur une grille et laisser refroidir.

Recettes de base

Pain plat

Donne **8 pains**   Préparation **25 minutes, plus 1 heure de levée**   Cuisson **25 minutes**

10 ml/2 c. à thé de levure sèche active

200 g/7 oz/1 tasse comble de farine de riz

150 g/5½ oz/1⅓ tasse comble de farine de pois chiche

150 g/5½ oz/¾ tasse comble de farine de pomme de terre

5 ml/1 c. à thé de sel de mer, broyé

7,5 ml/1½ c. à thé de gomme xanthane

30 ml/2 c. à soupe d'huile d'olive, plus pour graisser

1   Dans un petit bol à mélanger, fouetter la levure et 400 ml/14 oz liq/1⅔ tasse d'eau tiède et laisser reposer 10 minutes.

2   Tamiser les farines, le sel et la gomme xanthane dans le bol d'un robot culinaire doté de l'accessoire à pâte. Mélanger pour combiner. Ajouter l'huile d'olive et mélanger de nouveau. Ajouter le mélange de levure et mélanger 5 minutes pour aérer la pâte ; elle sera collante.

3   Transférer la pâte dans un bol, couvrir de pellicule plastique et laisser lever 1 heure.

4   Préchauffer le four à 200 °C/400 °F/gaz 6. Diviser la pâte en 8 portions égales et mettre 2 portions sur un morceau de papier sulfurisé en laissant assez d'espace pour façonner chacune en un pain plat. Graisser un autre morceau de papier sulfurisé et le placer, côté huilé vers le bas, sur la pâte. À l'aide de vos mains, aplatir et former chaque morceau de pâte en pains plats d'environ 5 mm/¼ po d'épaisseur. Retirer le papier sulfurisé du dessus. Transférer les pains plats sur une plaque à pâtisserie. Répéter avec les portions restantes et les disposer sur 3 plaques à pâtisserie supplémentaires. Enfourner de 20 à 25 minutes jusqu'à ce qu'ils soient légèrement dorés.

Tortilla de maïs

Donne **8 tortillas**   Préparation **10 minutes, plus 15 minutes de repos**   Cuisson **10 minutes**

250 g/9 oz/2¼ tasses de masa harina   **5 ml/1 c. à thé de sel de mer, broyé**

1   Tamiser la masa harina et le sel dans le bol d'un robot culinaire doté de l'accessoire à pâte. Ajouter 325 ml/11 oz liq/1⅓ tasse d'eau tiède et mélanger 5 minutes pour aérer la pâte.

2   Transférer la pâte dans un bol, couvrir de pellicule plastique et laisser reposer 15 minutes.

3   Diviser la pâte en 8 portions égales et façonner en boules. Sur un plan de travail, mettre une des boules entre 2 morceaux de papier sulfurisé et, à l'aide d'un rouleau à pâtisserie, abaisser en un cercle mince d'environ 20 cm/8 po de diamètre et de 1 mm/^{1}/$_{32}$ po d'épaisseur.

4   Faire chauffer une poêle à frire ou une plaque à frire à feu mi-vif jusqu'à ce qu'elle soit chaude. Cuire la tortilla environ 30 secondes jusqu'à ce qu'elle ait des taches brunes sur le dessous. La retourner et poursuivre la cuisson quelques secondes jusqu'à ce qu'elle gonfle. À l'aide d'une spatule, transférer la tortilla sur un linge à vaisselle propre légèrement humide et l'envelopper, pour la garder chaude et souple. Répéter avec les autres morceaux de pâte.

Recettes de base

Pâte légère à pâtisserie

Donne une quantité suffisante pour 1 moule à tarte de 20 cm/8 po ou 4 moules à tartelette de 10 cm/4 po   Préparation **15 minutes, plus 30 minutes de réfrigération**   Cuisson **15 minutes**

1 pomme de terre, pelée et coupée en gros morceaux

100 g/3½ oz/½ tasse comble de farine de riz, plus au besoin

40 g/1½ oz/⅓ tasse rase de farine de pois chiche

2,5 ml/½ c. à thé de sel de mer, broyé, plus pour assaisonner

5 ml/1 c. à thé de gomme xanthane

125 g/4½ oz de margarine sans produits laitiers froide, coupée en dés, plus pour graisser

1 gros œuf, battu

1   Mettre la pomme de terre dans une casserole et recouvrir d'eau froide. Amener à ébullition à feu vif. Réduire le feu et laisser mijoter 15 minutes ou jusqu'à ce qu'elle soit tendre. Égoutter et piler jusqu'à consistance lisse.

2   Tamiser les farines, le sel et la gomme xanthane dans le bol d'un robot culinaire. Ajouter la margarine sans produits laitiers et mélanger jusqu'à ce que le mélange ressemble à une chapelure fine. Ajouter la pomme de terre pilée et mélanger quelques secondes jusqu'à ce qu'elle soit bien incorporée. Ajouter l'œuf et mélanger de 20 à 30 secondes jusqu'à ce que le mélange se détache de la paroi du bol et forme une pâte collante. Il devrait y avoir un peu d'humidité dans le fond du bol. Si la pâte est trop sèche, incorporer graduellement de 15 à 30 ml/1 à 2 c. à soupe d'eau froide. Si elle est trop collante, ajouter un peu de farine de riz.

3   Façonner la pâte en boule, envelopper de pellicule plastique et réfrigérer 30 minutes.

Recettes de base

Pâte brisée

Donne **une quantité suffisante pour 1 moule à tarte de 20 cm/8 po ou 4 moules à tartelette de 10 cm/4 po** Préparation **10 minutes, plus 30 minutes de réfrigération**

100 g/3½ oz/½ tasse comble de farine de riz, plus au besoin

50 g/1¾ oz/½ tasse rase de farine de pois chiche

50 g/1¾ oz/⅓ tasse de farine de maïs

2,5 ml/½ c. à thé de sel de mer, broyé

5 ml/1 c. à thé de gomme xanthane

125 g/4½ oz de margarine sans produits laitiers froide, coupée en dés

1 gros œuf, battu

1   Tamiser les farines, le sel et la gomme xanthane dans le bol d'un robot culinaire. Bien mélanger. Ajouter la margarine sans produits laitiers et mélanger jusqu'à ce que le mélange ressemble à une chapelure fine. Ajouter l'œuf et mélanger de 20 à 30 secondes jusqu'à ce que le mélange forme une pâte collante. Il devrait y avoir un peu d'humidité dans le fond du bol. Si la pâte est trop sèche, incorporer graduellement de 15 à 30 ml/1 à 2 c. à soupe d'eau froide. Si elle est trop collante, ajouter un peu de farine de riz.

2   Façonner la pâte en boule, envelopper de pellicule plastique et réfrigérer 30 minutes.

Pâte brisée sucrée

Donne **une quantité suffisante pour 1 moule à tarte de 20 cm/8 po ou 4 moules à tartelette de 10 cm/4 po** Préparation **10 minutes, plus 30 minutes de réfrigération**

75 g/2½ oz/⅓ tasse comble de farine de riz, plus au besoin

75 g/2½ oz/⅔ tasse de farine de pois chiche

5 ml/1 c. à thé de gomme xanthane

50 g/1¾ oz/½ tasse rase d'amandes moulues

50 g/1¾ oz/⅓ tasse rase de fructose ou de sucre semoule

80 g/2¾ oz de margarine sans produits laitiers froide, coupée en dés

1 gros œuf, battu

1   Tamiser les farines et la gomme xanthane dans le bol d'un robot culinaire. Ajouter les amandes et le sucre et bien mélanger. Ajouter la margarine et mélanger jusqu'à consistance de chapelure fine. Ajouter l'œuf et mélanger de 20 à 30 secondes jusqu'à l'obtention d'une pâte collante. Il devrait y avoir un peu d'humidité au fond du bol. Si la pâte est trop sèche, incorporer graduellement de 15 à 30 ml/1 à 2 c. à soupe d'eau froide. Si elle est trop collante, ajouter un peu de farine de riz.

2   Façonner la pâte en boule, envelopper de pellicule plastique et réfrigérer 30 minutes.

Bouillon de poulet

Donne **environ 1,5 l/52 oz liq/6 tasses**   Préparation **10 minutes**   Cuisson **3 heures**

1 grosse carcasse de poulet

1 oignon, haché

1 poireau, partie blanche seulement, haché

1 branche de céleri, hachée

1 grosse carotte, hachée

6 brins de persil, sans les feuilles

1 feuille de laurier

6 grains de poivre noir

1   Casser la carcasse en morceaux et les mettre dans une grande casserole. Ajouter tous les ingrédients restants et 2 l/70 oz liq/8 tasses d'eau. Amener juste sous le point d'ébullition. Baisser le feu et laisser mijoter, couvert, 3 heures. Laisser refroidir un peu. Filtrer le bouillon par-dessus un contenant et laisser refroidir complètement.

2   Aussitôt le bouillon refroidi, retirer et jeter la couche de gras de la surface. Le bouillon se conserve au réfrigérateur jusqu'à 3 jours ou au congélateur jusqu'à 3 mois.

Fumet de poisson

Donne **environ 3 l/105 oz liq/12 tasses**   Préparation **10 minutes**   Cuisson **45 minutes**

2 kg/4 lb 8 oz d'arêtes de poisson

   (préférablement de poissons blancs comme

   la morue, la sole ou le bar)

1 oignon, haché

1 poireau, partie blanche, haché

1 branche de céleri, hachée

1 grosse carotte, hachée

6 brins de persil, sans les feuilles

1 feuille de laurier

6 grains de poivre noir

1   Laver soigneusement les arêtes de poisson et les casser dans une grande casserole. Ajouter tous les ingrédients restants et 3 l/105 oz liq/12 tasses d'eau. Amener juste sous le point d'ébullition. Baisser le feu et laisser mijoter, couvert, 40 minutes.

2   Laisser refroidir un peu. Filtrer le bouillon par-dessus un contenant et laisser refroidir complètement. Le fumet se conserve au réfrigérateur jusqu'à 2 jours ou au congélateur jusqu'à 3 mois.

Bouillon de légumes

Donne **environ 1,5 l/52 oz liq/6 tasses**   Préparation **10 minutes**   Cuisson **45 minutes**

2 oignons, hachés

2 poireaux, partie blanche seulement, hachés

2 branches de céleri, hachées

une petite poignée de tiges de persil, sans les
   feuilles

3 grosses carottes, hachées

2 feuilles de laurier

2 tiges de thym

12 grains de poivre noir

1   Mettre tous les ingrédients et 1,5 l/52 oz liq/6 tasses d'eau dans une grande casse-
    role. Amener juste sous le point d'ébullition. Baisser le feu et laisser mijoter, couvert,
    40 minutes.

2   Laisser refroidir un peu. Filtrer le bouillon au-dessus d'un contenant et laisser refroidir
    complètement. Le bouillon se conserve au réfrigérateur jusqu'à 4 jours ou au congélateur
    jusqu'à 3 mois.

Recettes de base

Petits déjeuners

Chez moi, le petit déjeuner est mouvementé et pris à la hâte ou bien tranquille, selon si c'est un jour de semaine ou la fin de semaine. Que vous soyez en train de quitter la maison à toute vitesse ou en train de bien vous installer confortablement, voici des recettes qui conviendront à toute occasion — et elles sont toutes délicieuses. Rehaussez votre niveau d'énergie pour la journée grâce à la Boisson frappée à l'ananas, aux fraises et aux fruits de la passion, ou emballez une Brioche et pêches caramélisées ou un Muffin à la mangue et aux noix de macadamia pour emporter. Faites de la pâte à crêpe ou du pain la veille, et dégustez des Crêpes au maïs sucré ou du Pain doré avec poires le lendemain matin. Encore, faites les Œufs à l'espagnole, et invitez vos amis et votre famille à les savourer avec vous.

Granola aux abricots, aux canneberges et aux baies de goji, page 37 >

Les boissons frappées sont un merveilleux départ pour la journée. Elles regorgent de vitamines, de minéraux et de protéines, et vous donnent énergie et vitalité.

Boisson frappée à la mangue et à la grenade

Donne **4 portions**   Préparation **10 minutes**

2 grosses mangues

250 ml/9 oz liq/1 tasse de jus de grenade

250 ml/9 oz liq/1 tasse de yogourt de soja nature

15 ml/1 c. à soupe de graines de lin

1   À l'aide d'un couteau tranchant, couper la mangue des 2 côtés en évitant le noyau. À l'intérieur de chaque tranche, couper la chair en carrés en coupant jusqu'à la pelure, mais sans la percer. Retirer la chair à l'aide d'une cuillère. Peler le reste de la mangue et retirer la chair du noyau. Mettre toute la chair de mangue dans un mélangeur ou dans un robot culinaire.

2   Ajouter tous les ingrédients restants et mélanger jusqu'à la consistance onctueuse et crémeuse. Servir immédiatement.

Boisson frappée à l'ananas, aux fraises et aux fruits de la passion

Donne **4 portions**   Préparation **10 minutes**

1 ananas

400 g/14 oz/2⅔ tasses de fraises, équeutées

4 fruits de la passion, coupés en 2 et graines retirées

400 ml/14 oz liq/1⅔ tasse de lait de noix de coco

30 ml/2 c. à soupe de sirop d'agave

1   Parer la base et la partie supérieure de l'ananas. Le mettre debout. Trancher et jeter la pelure, y compris les « yeux ». Trancher la chair sur toute la longueur du fruit en longues tranches minces en évitant le cœur. Hacher la chair.

2   Mettre l'ananas et tous les autres ingrédients dans un mélangeur ou dans un robot culinaire. Mélanger jusqu'à la consistance onctueuse et crémeuse. Servir immédiatement.

J'adore les jus ! Ces recettes vous offrent le maximum de nutrition en plus de saveurs de fruits et de menthe, ou le goût de gingembre piquant et de légumes sucrés.

Jus de pomme, bleuet et raisin

Donne **2 portions**   Préparation **5 minutes**

½ lime, coupée en 2

150 g/5½ oz/1 tasse de bleuets

2 grosses pommes, coupées en quartiers et
  équeutées

500 g/1 lb/2 oz de raisin sans pépins, équeutés

une petite poignée de feuilles de menthe

1   À l'aide d'une cuillère, retirer la chair de la lime et la mettre dans un extracteur à jus. Ajouter tous les ingrédients restants et rendre en jus. Servir immédiatement.

Jus de carotte, poivron, tomate et kiwi

Donne **2 portions**   Préparation **5 minutes**

6 carottes, frottées, queues et feuilles retirées

1 poivron rouge, coupé en quartiers

4 tomates, coupées en quartiers

4 kiwis, coupés en quartiers

1 morceau de 2,5 cm/1 po de racine de
  gingembre, pelée

1   Passer tous les ingrédients à l'extracteur à jus et servir immédiatement.

Pour cette recette, j'utilise deux héros de la cuisine australienne — les noix de macadamia et les mangues. La première fois que je suis allée à Sydney, des amis nous ont donné des boîtes de mangues fabuleusement sucrées et de noix de macadamia fraîches. Que de beaux souvenirs !

Muffins à la mangue et aux noix de macadamia

Donne **10 muffins**   Préparation **15 minutes**   Cuisson **30 minutes**

1 grosse mangue très mûre

75 g/2½ oz de margarine sans produits laitiers, ramollie

75 g/2½ oz/½ tasse rase de fructose ou de sucre semoule

2 gros œufs

80 ml/2½ oz liq/⅓ tasse de yogourt de soja nature

100 g/3½ oz/½ tasse comble de farine de riz

50 g/1¾ oz/½ tasse rase de farine de pois chiche

50 g/1¾ oz/⅓ tasse de farine de maïs

10 ml/2 c. à thé de levure chimique sans gluten

2,5 ml/½ c. à thé de gomme xanthane

50 g/1¾ oz de mangues séchées, coupées en petits morceaux

100 g/3½ oz/⅔ tasse de noix de macadamia, hachées finement

1   Préchauffer le four à 180 °C/350 °F/gaz 4 et tapisser 10 alvéoles d'un moule à muffins de caissettes de papier. À l'aide d'un couteau tranchant, trancher la mangue des 2 côtés en évitant le noyau. À l'intérieur de chaque tranche, couper la chair en très petits carrés en coupant jusqu'à la pelure, mais sans la percer. Retirer la chair à l'aide d'une cuillère. Peler le reste de la mangue, retirer la chair du noyau et la couper en très petits morceaux. Réserver.

2   Mettre la margarine sans produits laitiers et le sucre dans un grand bol à mélanger. Battre à l'aide d'un mélangeur électrique jusqu'à l'obtention d'un mélange léger et crémeux. Incorporer graduellement en battant les œufs, un à la fois, et incorporer le yogourt de soja.

3   Tamiser les farines, la levure chimique sans gluten et la gomme xanthane par-dessus le bol. Remuer rapidement jusqu'à ce que le tout soit combiné. Ne pas trop mélanger et ne pas s'inquiéter s'il reste des grumeaux dans le mélange. Incorporer les morceaux de mangue fraîche, les morceaux de mangues séchées et les noix. À l'aide d'une cuillère, déposer le mélange dans les caissettes en papier ; les remplir aux deux tiers.

4   Enfourner de 25 à 30 minutes jusqu'à ce que les muffins soient bien gonflés, dorés et fermes au toucher, ou jusqu'à ce qu'un cure-dents inséré au centre en ressorte propre. Retirer du four et manger les muffins chauds ou les transférer dans leurs caissettes en papier sur une grille, pour les laisser refroidir.

Petits déjeuners

Ma combinaison préférée de farines sans gluten est celle de farine de riz, de pois chiche et de maïs, car elles s'équilibrent en matière de goût et de texture. Dans cette recette, j'ai aussi ajouté de la farine de pomme de terre, pour rendre le tout plus moelleux.

Brioche et pêches caramélisées

Donne 4 portions   Préparation **20 minutes, plus 4 heures de levée**   Cuisson **30 minutes**

100 g/3½ oz/½ tasse comble de farine de
    pomme de terre

50 g/1¾ oz/½ tasse rase de farine de pois chiche

50 g/1¾ oz/⅓ tasse de farine de maïs

150 g/5½ oz/¾ tasse comble de farine de riz

5 ml/1 c. à thé de sel de mer, broyé

5 ml/1 c. à thé de gomme xanthane

10 ml/2 c. à thé de levure sèche active

165 g/5¾ oz de margarine sans produits
    laitiers, réfrigérée et coupée en petits
    morceaux, plus pour graisser

100 ml/3½ oz liq/½ tasse de lait de soja

4 œufs

90 ml/6 c. à soupe de fructose ou de sucre
    semoule

4 pêches, dénoyautées et coupées en 8 tranches

1 Tamiser les farines, le sel, la gomme xanthane et la levure dans le bol d'un robot culinaire doté de l'accessoire à pâte. Mélanger, pour combiner. Ajouter 150 g/5½ oz de la margarine sans produits laitiers et mélanger jusqu'à ce que le mélange ressemble à de la chapelure. Ajouter le lait de soja, 3 œufs et 45 ml/3 c. à soupe de sucre. Mélanger 10 minutes, pour aérer la pâte. Mettre la pâte dans un grand bol, couvrir de pellicule plastique et laisser lever 1 heure.

2 Graisser un moule à muffins de 12 alvéoles avec la margarine sans produits laitiers. Bien remuer la pâte à brioche et verser en portions égales dans le moule. Couvrir lâchement de pellicule plastique et laisser lever 3 heures jusqu'à ce qu'elle soit légère, gonflée et ait doublé.

3 Préchauffer le four à 200 °C/400 °F/gaz 6. Battre l'œuf restant et le badigeonner sur les brioches à l'aide d'un pinceau à pâtisserie. Enfourner 20 minutes jusqu'à ce qu'elles soient dorées. Laisser refroidir de 2 à 3 minutes. Les sortir du moule et les transférer sur une grille avant de servir.

4 Pendant que les brioches refroidissent, mettre la margarine et le sucre restants dans une casserole et faire chauffer à feu doux jusqu'à ce que la margarine sans produits laitiers ait fondu et que le sucre soit dissous. Amener à ébullition à feu vif. Baisser le feu et laisser mijoter de 4 à 5 minutes jusqu'à ce que le mélange ait légèrement caramélisé et soit sirupeux. Mettre les pêches dans la casserole et remuer la casserole, pour recouvrir les pêches de sirop. Cuire de 2 à 3 minutes jusqu'à ce qu'elles soient tendres en continuant de remuer la casserole de temps en temps. Servir immédiatement avec les brioches.

Petits déjeuners

Les grains de maïs congelés sont un excellent ingrédient de base. À la fois sucrés et nourrissants, ils sont merveilleux dans ces crêpes.

Crêpes au maïs sucré

Donne 12 crêpes   Préparation **10 minutes**   Cuisson **10 minutes**

8 tomates

350 g/12 oz/2⅓ tasses de maïs sucré

50 g/1¾ oz/¼ tasse comble de farine de riz

50 g/1¾ oz/⅓ tasse de farine de maïs

une pincée de sel

5 ml/1 c. à thé de levure chimique sans gluten

2 gros œufs

250 ml/9 oz liq/1 tasse de crème de soja

15 ml/1 c. à soupe d'huile d'olive

poivre noir fraîchement moulu

2 avocats, pelés, dénoyautés et tranchés, pour accompagner

une grande poignée de roquette, pour accompagner

1   Préchauffer le gril à température élevée. Faire griller les tomates de 3 à 4 minutes jusqu'à ce qu'elles commencent à brunir et réserver.

2   Mettre le maïs dans le cuiseur à vapeur et cuire à feu vif de 3 à 4 minutes jusqu'à ce qu'il soit à peine tendre.

3   Tamiser les farines, le sel et la levure chimique sans gluten dans un grand bol à mélanger. Battre les œufs et la crème de soja dans un autre bol. Faire un puits dans le centre du mélange de farine et ajouter le mélange aux œufs. Battre lentement avec une cuillère en bois, pour incorporer les farines et faire une pâte lisse. Incorporer le maïs.

4   Faire chauffer l'huile dans une grande poêle à frire à feu moyen jusqu'à ce qu'elle soit chaude. Verser 30 ml/2 c. à soupe de pâte dans une moitié de la poêle, pour former une crêpe. Verser 30 ml/2 c. à soupe de pâte dans l'autre moitié. Cuire de 2 à 3 minutes par côté ou jusqu'à ce qu'elles soient dorées.

5   Répéter avec le reste de la pâte et ajouter de l'huile à la poêle, au besoin. Empiler les crêpes cuites entre des feuilles de papier sulfurisé antiadhésif, pour les empêcher de coller ensemble et pour les garder au chaud. Les crêpes cuiront plus rapidement de chaque côté parce que la poêle sera déjà chaude. Poivrer et servir chaudes accompagnées des tomates grillées, des avocats et des feuilles de roquette.

Petits déjeuners

Ma fille, Zoë, adore m'aider lorsque je cuisine. Ceci est une excellente recette à faire avec elle parce que je peux faire la recette d'une main et tenir Zoë sur ma hanche de l'autre main.

Pain doré avec poires

Donne **4 portions**   Préparation **5 minutes, plus le temps de faire le pain**   Cuisson **30 minutes**

2 œufs

80 ml/2½ oz liq/⅓ tasse de lait de soja

75 g/2½ oz/½ tasse rase de fructose ou de
    sucre semoule

45 g/1½ oz de margarine sans produits laitiers

4 poires, pelées, évidées et tranchées sur la
    longueur

8 tranches de pain blanc (p. 14)

1 Mettre les œufs, le lait de soja et 30 ml/2 c. à soupe rases de sucre dans un grand bol. Bien battre.

2 Mettre le reste du sucre et 30 g/1 oz de margarine sans produits laitiers dans une casserole. Faire chauffer à feu doux jusqu'à ce que la margarine soit fondue et que le sucre soit dissous. Amener à ébullition à feu vif. Baisser le feu et laisser mijoter de 4 à 5 minutes jusqu'à ce que le mélange ait légèrement caramélisé et soit sirupeux.

3 Ajouter les poires et remuer la casserole, pour recouvrir les poires de sirop. Cuire de 2 à 3 minutes jusqu'à ce qu'elles soient tendres en remuant la casserole de temps en temps. Réserver.

4 Faire tremper le pain dans le mélange d'œufs 2 minutes jusqu'à ce qu'il soit complètement imbibé. Préchauffer le four à 70 °C/150 °F/gaz ¼. Mettre le reste de la margarine dans une poêle à frire et faire chauffer à feu moyen jusqu'à ce qu'elle fonde. Égoutter 2 des tranches de pain et frire de 2 à 3 minutes par côté jusqu'à ce qu'elles soient bien dorées. Retirer de la poêle et garder au chaud dans le four pendant la cuisson du pain restant. Servir chaud garni des poires.

Les bleuets sont les rois des antioxydants, donc ces crêpes sont une excellente façon de commencer votre journée. Pour rendre ces crêpes encore plus nourrissantes, j'ai fait une pâte épaisse avec de la farine de sarrasin, de la crème de soja et des blancs d'œufs fouettés.

Crêpes au sarrasin et aux bleuets

Donne **8 crêpes**   Préparation **10 minutes, plus au moins 10 minutes de repos**
Cuisson **20 minutes**

3 gros œufs, séparés

50 g/1¾ oz/⅓ tasse comble de farine de
   sarrasin

50 g/1¾ oz/¼ tasse de farine de riz

5 ml/1 c. à thé de levure chimique sans gluten

une pincée de sel

250 ml/9 oz liq/1 tasse de crème de soja

30 ml/2 c. à soupe de lait de soja non sucré

30 à 40 g/1 à 1½ oz de margarine sans produits
   laitiers

200 g/7 oz/1⅓ tasse de bleuets

miel clair, pour garnir

1   Battre les jaunes d'œufs dans un grand bol à mélanger. Y tamiser les farines, la levure chimique sans gluten et le sel. Bien remuer. Ajouter lentement la crème de soja et le lait de soja en incorporant les farines, pour faire une pâte épaisse et lisse.

2   Mettre les blancs d'œufs dans un bol propre et fouetter jusqu'à la formation de pics fermes. À l'aide d'une grande cuillère en métal, incorporer délicatement les blancs d'œufs fouettés à la pâte jusqu'à ce qu'ils soient bien intégrés. Couvrir et laisser reposer au moins 10 minutes à température ambiante ou jusqu'à 30 minutes au réfrigérateur.

3   Pendant ce temps, faire chauffer une grande poêle à frire antiadhésive à feu moyen. Ajouter un peu de margarine sans produits laitiers et faire chauffer jusqu'à ce qu'elle ait fondu. S'assurer qu'elle recouvre le fond de la poêle. Verser environ 105 ml/7 c. à soupe de la pâte pour former un cercle. Parsemer une petite poignée de bleuets par-dessus et cuire de 2 à 3 minutes jusqu'à ce que le dessous de la crêpe soit doré. À l'aide d'une grande spatule, retourner la crêpe et poursuivre la cuisson de 1 à 2 minutes jusqu'à ce qu'elle soit dorée.

4   Répéter avec le reste de la pâte pour faire un total de 8 crêpes. Ajouter de la margarine à la poêle, au besoin. Empiler les crêpes entre des feuilles de papier sulfurisé, pour les empêcher de coller ensemble et les garder au chaud. Arroser de miel et servir chaud.

Petits déjeuners

Cuire le quinoa et les flocons de riz jusqu'à ce qu'ils soient dorés procure une délicieuse texture croustillante à cette céréale tendre aux arômes de noix.

Granola aux abricots, canneberges et baies de goji

Donne **8 à 10 portions**   Préparation **15 minutes**   Cuisson **20 minutes**

50 g/1¾ oz de margarine sans produits laitiers, plus pour graisser

80 ml/2½ oz liq/⅓ tasse de sirop de datte

5 ml/1 c. à thé d'extrait de vanille

150 g/5½ oz/1 tasse comble de flocons de quinoa

150 g/5½ oz/1 tasse comble de flocons de riz

50 g/1¾ oz/¼ tasse comble de graines de citrouille

50 g/1¾ oz/⅓ tasse rase de graines de lin

100 g/3½ oz/⅔ tasse d'amandes, hachées

100 g/3½ oz/⅔ tasse de noix du Brésil, hachées

50 g/1¾ oz/⅓ tasse comble de noisettes, hachées

25 g/1 oz/¼ tasse de baies de goji séchées

50 g/1¾ oz/⅓ tasse de canneberges séchées

75 g/2½ oz/⅓ tasse d'abricots séchés non soufrés, hachés

100 g/3½ oz/2 tasses de flocons de noix de coco

1   Préchauffer le four à 150 °C/300 °F/gaz 2 et graisser 2 plaques à pâtisserie de margarine sans produits laitiers. Mettre la margarine sans produits laitiers, le sirop de datte et l'extrait de vanille dans une casserole et faire chauffer à feu doux jusqu'à ce que la margarine ait fondu. Remuer, pour bien mélanger.

2   Mettre les flocons de quinoa, les flocons de riz, les graines et les noix dans un grand bol et bien mélanger. Ajouter le mélange de margarine fondue et bien mélanger.

3   Répartir le mélange sur les 2 plaques à pâtisserie et enfourner 10 minutes jusqu'à ce que les flocons de quinoa et de riz commencent à dorer. Incorporer les baies, les canneberges, les abricots et les flocons de noix de coco et poursuivre la cuisson 10 minutes.

4   Remuer et laisser complètement refroidir sur les plaques à pâtisserie avant de servir. Le granola peut se conserver dans un contenant hermétique jusqu'à 1 mois.

Ce musli représente une excellente manière d'ajouter une tonne de nutriments à votre régime, dont des acides gras oméga-3 provenant des graines de chanvre et de citrouille.

Musli et compote de fruits d'été

Donne **6 portions**   Préparation **15 minutes**   Cuisson **35 minutes**

MUSLI :

100 g/3½ oz/¾ tasse de noisettes hachées

150 g/5½ oz/1 tasse comble de flocons de riz

50 g/1¾ oz/½ tasse rase de flocons de sarrasin

50 g/1¾ oz/½ tasse comble d'amandes effilées

50 g/1¾ oz/1 tasse de flocons de noix de coco grillés

37,5 ml/2½ c. à soupe de graines de citrouille

15 ml/1 c. à soupe de graines de chanvre

150 g/1¾ oz/¼ tasse d'abricots séchés non soufrés, hachés

50 g/1¾ oz/¼ tasse de dattes, hachées

30 ml/2 c. à soupe de baies de goji séchées

yogourt de soja, pour accompagner

lait de soja, pour accompagner

COMPOTE DE FRUITS D'ÉTÉ :

8 abricots, dénoyautés et coupés en quartiers

8 prunes, dénoyautées et coupées en quartiers

60 g/2¼ oz/⅓ tasse de fructose ou de sucre semoule

150 g/5½ oz/1 tasse de bleuets

400 g/14 oz/2⅔ tasses de fraises, équeutées

1   Préchauffer le four à 180 °C/350 °F/gaz 4. Pour faire la compote, mettre les abricots et les prunes dans un plat de cuisson de taille moyenne, saupoudrer le sucre par-dessus et enfourner 10 minutes. Incorporer délicatement les bleuets et les fraises et poursuivre la cuisson 25 minutes jusqu'à ce que les fruits soient tendres. Retirer du four et laisser refroidir. Conserver au réfrigérateur jusqu'à 3 jours avant de servir.

2   Pour faire le musli, mélanger tous les ingrédients dans un grand bol à mélanger.

3   Servir le musli avec la compote et accompagner de yogourt de soja et de lait de soja, si désiré. Le musli peut se conserver dans un contenant hermétique jusqu'à un mois.

Petits déjeuners

Des ingrédients classiques se marient ici pour créer un mets que l'on demandera encore et encore. Ces œufs sont parfaits pour un petit déjeuner nourrissant ou pour le brunch.

Œufs à l'espagnole

Donne **4 portions**   Préparation **10 minutes**   Cuisson **35 minutes**

45 ml/3 c. à soupe d'huile d'olive

4 pommes de terre, coupées en petits morceaux

1 gros oignon doux, haché

2 poivrons rouges, épépinés et coupés en tranches

30 ml/2 c. à soupe de pâte de tomates

8 tomates, hachées

100 ml/3½ oz liq/½ tasse rase de Bouillon de légumes (p. 21) ou de bouillon de légumes fait de poudre sans gluten et sans produits laitiers

8 tranches de jambon Serrano ou de jambon de Parme, hachées

une poignée de feuilles de persil italien, hachées

4 œufs

sel de mer et poivre noir fraîchement moulu

1   Faire chauffer l'huile dans une grande poêle à frire à fond épais. Cuire les pommes de terre à feu moyen 8 à 10 minutes jusqu'à ce qu'elles commencent à dorer. Retirer de la poêle à l'aide d'une cuillère trouée et transférer dans une assiette.

2   Ajouter l'oignon à la poêle et cuire, en remuant fréquemment, de 2 à 3 minutes jusqu'à ce qu'il commence à dorer. Ajouter les poivrons et poursuivre la cuisson, en remuant, de 2 à 3 minutes. Incorporer la pâte de tomates et saler légèrement.

3   Ajouter les tomates et le bouillon. Cuire couvert à feu doux 10 minutes ou jusqu'à ce que les pommes de terre soient tendres. Remuer de temps en temps et rajouter du bouillon, au besoin. Incorporer délicatement le jambon et le persil.

4   Avec le dos d'une cuillère, faire 4 trous profonds dans le mélange et craquer un œuf dans chacun. Remettre le couvercle et poursuivre la cuisson de 8 à 10 minutes jusqu'à ce que les blancs d'œufs soient cuits. Servir immédiatement.

Déjeuners

Tenter d'acheter un déjeuner sans gluten et sans produits laitiers peut ressembler à un cauchemar. Même si vous réussissez à trouver, ce n'est jamais aussi bon que ce que vous cuisinez à la maison. Vous trouverez dans cette section des repas nutritifs que vous pourrez manger à votre bureau, au parc, à la plage ou bien confortablement chez vous. Apportez les Roulés au thon, avocat et salsa de tomates au travail, par exemple. Apportez la Bruschetta aux crevettes, aux féveroles et à l'avocat ou la Tarte aux tomates à un pique-nique en plein soleil. Faites sourire vos enfants grâce aux Croquettes de poulet au sésame ou avec la Pizza aux artichauts, au jambon de Parme et aux olives. Vous pouvez aussi faire les Nouilles épicées au porc ou les Pâtes aux écrevisses et aux asperges comme délicieux petit plaisir en milieu de journée.

Pâtes aux écrevisses et aux asperges, page 65 >

La soupe a une qualité très réconfortante — et encore plus lorsqu'il s'agit de soupe au poulet. Celle-ci regorge de saveurs asiatiques, avec une petite touche de piquant grâce au piment.

Soupe au poulet et à la noix de coco

Donne **4 portions**   Préparation **15 minutes**   Cuisson **15 minutes**

2 tiges de citronnelle, coupées en tiers et
   écrasées

1 morceau de 2,5 cm/1 po de racine de
   gingembre, pelé et haché grossièrement

1 piment fort rouge, épépiné et haché
   grossièrement

2 échalotes, hachées grossièrement

2 feuilles de lime kafir

1 l/35 oz liq/4 tasses de Bouillon de poulet
   (p. 20) ou de bouillon de poulet sans gluten
   ni produits laitiers

400 ml/14 oz liq/1⅔ tasse de lait de noix de
   coco

2 poitrines de poulet sans peau et désossées,
   coupées en lanières

200 g/7 oz de champignons, hachés

30 ml/2 c. à soupe de sauce de poisson thaïe

jus de ½ lime

une grande poignée de feuilles de coriandre,
   hachées, pour garnir

Déjeuners

1   Mettre la citronnelle, le gingembre, le piment fort et les échalotes dans un petit robot culi-
    naire ou dans un moulin à épices. Hacher jusqu'à ce que le mélange forme une pâte.

2   Mettre la pâte dans une grande casserole à fond épais et ajouter les feuilles de lime kafir, le
    bouillon de poulet et le lait de noix de coco. Amener à ébullition à feu vif. Ajouter le poulet,
    les champignons et la sauce de poisson. Laisser mijoter à feu moyen 10 minutes ou jusqu'à
    ce que le poulet soit cuit et tendre. Pour tester la cuisson du poulet, retirer une lanière,
    piquer avec le bout d'un couteau et s'assurer que le jus qui en coule est clair et non rose.

3   Incorporer le jus de lime et servir immédiatement parsemé de feuilles de coriandre.

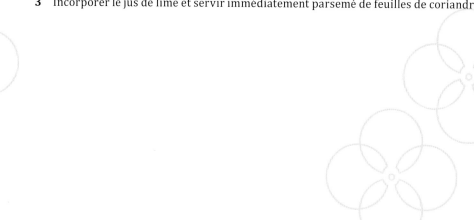

La menthe et les asperges se combinent délicieusement bien — et les qualités médicinales de la menthe peuvent aider à la digestion et aux problèmes digestifs, ainsi qu'au syndrome du côlon irritable.

Soupe aux asperges et pesto de menthe

Donne **4 portions**   Préparation **15 minutes**   Cuisson **30 minutes**

15 ml/1 c. à soupe d'huile d'olive

3 échalotes, hachées

700 g/1 lb/9 oz d'asperges, bouts fibreux
   retirés et tiges hachées grossièrement

1 l/35 oz liq/4 tasses de Bouillon de légumes
   (p. 21) ou de bouillon de légumes fait de
   poudre sans gluten et sans produits laitiers

6 grosses feuilles de menthe, hachées
   grossièrement

sel de mer et poivre noir fraîchement moulu

PESTO DE MENTHE :

100 g/3½ oz/5 tasses de feuilles de menthe,
   plus pour décorer

50 g/1¾ oz/⅓ tasse de pignons

2 gousses d'ail

60 ml/4 c. à soupe d'huile d'olive

sel de mer

1   Faire chauffer l'huile dans une grande casserole à fond épais à feu doux. Ajouter les échalotes et cuire, en remuant de temps en temps, de 2 à 3 minutes jusqu'à ce qu'elles soient
   dorées. Ajouter les asperges et poursuivre la cuisson en remuant de 3 à 4 minutes jusqu'à
   ce qu'elles commencent à ramollir.

2   Ajouter le bouillon et les feuilles de menthe hachées. Saler et poivrer légèrement. Amener à
   ébullition à feu vif. Baisser le feu et laisser mijoter, couvert, 15 à 20 minutes.

3   Pendant ce temps, faire le pesto. Rincer et sécher délicatement les feuilles de menthe dans
   un linge à vaisselle propre. Faire chauffer à sec une poêle à frire à feu moyen. Ajouter les
   pignons et cuire en remuant fréquemment jusqu'à ce qu'ils commencent à dorer. Les retirer du feu et les mettre dans un robot culinaire.

4   Ajouter les feuilles de menthe et commencer à hacher. Pendant que le moteur est en
   marche, ajouter l'huile et mélanger jusqu'à ce que le mélange forme une sauce épaisse et
   dense. Transférer dans un bol et saler, au goût.

5   Mélanger la soupe jusqu'à la consistance lisse. Incorporer une grande cuillerée de pesto,
   parsemer de feuilles de menthe et servir. Le pesto restant peut être conservé au réfrigérateur de 1 à 2 jours ou au congélateur jusqu'à 3 mois.

Déjeuners

Lorsque je pense aux champignons, je remémore toujours de beaux souvenirs dans ma jeunesse quand j'allais en cueillir avec mon père. Ici, j'ai utilisé à la fois des champignons frais et séchés pour une saveur plus riche et aussi des noisettes pour ajouter une richesse crémeuse à la soupe.

Soupe aux champignons sauvages et à la crème de noisette

Donne **4 portions** Préparation **35 minutes, plus au moins 12 heures de trempage**
Cuisson **30 minutes**

50 g/1¾ oz/⅓ tasse comble de noisettes mondées

20 g/¾ oz de champignons porcinis séchés

30 ml/2 c. à soupe d'huile d'olive

1 oignon, haché

2 gousses d'ail, écrasées

450 g/1 lb de champignons sauvages mélangés, tels que chanterelles, porcinis et pleurotes, lavés et tranchés

250 ml/9 oz liq/1 tasse de Bouillon de légumes (p. 21) ou de bouillon fait de poudre sans gluten et sans produits laitiers

une poignée de feuilles de persil, hachées

sel de mer et poivre noir fraîchement moulu

1   Mettre les noisettes dans un bol, recouvrir d'eau froide et laisser tremper toute la nuit ou au moins 12 heures. Égoutter et bien rincer.

2   Mettre les champignons séchés dans un bol et recouvrir de 500 ml/17 oz liq/2 tasses d'eau bouillante. Laisser tremper 20 minutes. Retirer à l'aide d'une cuillère trouée et réserver. Filtrer le liquide dans un bol propre et réserver.

3   Faire chauffer l'huile dans une grande casserole à fond épais à feu doux. Ajouter l'oignon et cuire de 2 à 3 minutes, en remuant de temps en temps, jusqu'à ce qu'il soit doré. Ajouter l'ail et poursuivre la cuisson 30 secondes. Incorporer délicatement les champignons et cuire de 3 à 4 minutes en remuant de temps en temps. Ajouter le bouillon et le liquide réservé des champignons. Saler et poivrer légèrement. Amener à ébullition à feu élevé. Baisser le feu et laisser mijoter, couvert, de 15 à 20 minutes. Incorporer le persil et laisser mijoter 2 minutes de plus.

4   Pendant ce temps, mettre les noisettes dans un robot culinaire ou dans un mélangeur et ajouter 80 ml/2½ oz liq/⅓ tasse d'eau. Mélanger 10 minutes ou jusqu'à ce que le mélange soit très lisse. Transférer dans un petit bol.

5   Mélanger la soupe jusqu'à ce qu'elle soit onctueuse. Incorporer une cuillerée de crème de noisette et servir. Le reste de la crème de noisette peut être conservé au réfrigérateur jusqu'à 3 jours ou au congélateur jusqu'à 3 mois.

Les graines de sésame sont un bon substitut pour la chapelure. Elles ont une teneur en calcium très élevée, ce qui fait de ces croquettes un choix santé pour les enfants.

Croquettes de poulet au sésame

Donne **4 portions**   Préparation **15 minutes, plus au moins 2 heures de marinage**
Cuisson **20 minutes**

4 poitrines de poulet sans peau et désossées,
   coupées en lanières courtes
150 g/5½ oz/1 tasse de graines de sésame

MARINADE :
125 ml/4 oz liq/½ tasse de miel clair
2 c. à soupe de sauce tamari
16 ciboules, hachées finement
1 morceau de 5 cm/2 po de racine de
   gingembre, pelé et haché finement

1   Mettre le poulet dans un plat de cuisson non réactif. Mélanger tous les ingrédients de la marinade dans un bol et verser sur le poulet. Couvrir et laisser mariner au réfrigérateur de 2 à 3 heures ou toute la nuit.

2   Préchauffer le four à 180 °C/350 °F/gaz 4 et tapisser 2 plaques à pâtisserie de papier sulfurisé. Mettre les graines de sésame dans un sac à sandwich, retirer les morceaux de poulet de la marinade et déposer dans le sac. Secouer délicatement jusqu'à ce que tous les morceaux soient enrobés de graines. Disposer le poulet sur les plaques à pâtisserie et jeter toute graine restante.

3   Mettre le plat qui contient la marinade dans le four, à découvert, en même temps que le poulet. Enfourner de 15 à 20 minutes jusqu'à ce que le poulet soit complètement cuit. Servir accompagné de la sauce de marinade. La verser sur les croquettes.

Déjeuners

Les lentilles sont un élément essentiel du garde-manger et offrent une très bonne quantité d'énergie. Combinées aux arômes délicieux et aux saveurs du romarin, de l'ail, de la pancetta et du poulet dans cette recette, elles complètent le repas à merveille.

Brochettes de poulet au romarin et lentilles vertes de Puy

Donne **4 portions**   Préparation **30 minutes, plus au moins 12 heures de trempage et 1 heure de marinage**   Cuisson **55 minutes**

200 g/7 oz/1 tasse de lentilles vertes de Puy

2 gousses d'ail, pelées mais laissées entières, plus 1 gousse, écrasée

60 ml/4 c. à soupe d'huile d'olive

2 grosses poitrines de poulet sans peau et désossées, coupées en bouchées

125 g/4½ oz de pancetta

3 échalotes, hachées finement

600 ml/21 oz liq/2½ tasses de Bouillon de poulet (p. 20) ou de bouillon fait de poudre sans gluten et sans produits laitiers

4 grosses tiges de romarin, feuilles inférieures retirées

sel de mer et poivre noir fraîchement moulu

1   Rincer les lentilles abondamment et les mettre dans un grand bol. Couvrir d'eau et laisser tremper toute la nuit ou au moins 12 heures. Égoutter, bien rincer, et égoutter à nouveau.

2   Mettre l'ail entier et 45 ml/3 c. à soupe d'huile dans un petit robot culinaire ou un moulin à épices. Hacher de 2 à 3 minutes jusqu'à l'obtention d'un mélange lisse et épais. Déposer le poulet dans un plat peu profond, verser le mélange à l'ail par-dessus et bien remuer, pour enrober les morceaux de poulet. Couvrir et laisser mariner au réfrigérateur 1 heure ou jusqu'au moment d'en avoir besoin.

3   Faire chauffer le reste de l'huile dans une poêle à frire à feu moyen. Ajouter la pancetta et frire de 5 à 6 minutes jusqu'à ce qu'elle soit croustillante. À l'aide d'une cuillère trouée, transférer la pancetta dans une casserole à fond épais et réserver. Mettre les échalotes dans la poêle et frire, en remuant de temps en temps, environ 2 minutes ou jusqu'à ce qu'elles commencent à dorer. Ajouter l'ail écrasé et poursuivre la cuisson 30 minutes. Ajouter le mélange à la casserole et tout le gras de la poêle. Ajouter les lentilles et le bouillon. Amener à ébullition à feu vif, baisser le feu et laisser mijoter, couvert, 45 minutes jusqu'à ce qu'elles soient tendres. Lorsque les lentilles sont tendres, égoutter tout excédent de liquide. Saler et poivrer.

4   Pendant ce temps, faire tremper les tiges de romarin dans de l'eau froide 20 minutes et préchauffer le gril à température élevée. Enfiler les morceaux de poulet sur les tiges de romarin et déposer sur une plaque à griller. Après 25 minutes de cuisson des lentilles, faire griller les brochettes 20 minutes, en les retournant toutes les 5 minutes, jusqu'à ce que le poulet soit bien cuit et légèrement doré. Servir accompagné des lentilles.

Une salade estivale très simple — mais débordante de fraîcheur des herbes, de douceur de la mangue et de saveur riche et intense du vinaigre balsamique.

Salade de poulet et de mangues

Donne **4 portions**   Préparation **15 minutes**   Cuisson **25 minutes**

4 poitrines de poulet sans peau et désossées

75 ml/5 c. à soupe d'huile d'olive

2 mangues

4 avocats, pelés, dénoyautés et tranchés

12 ciboules, hachées finement

4 laitues « Little Gem » ou de très petites romaines, feuilles séparées

une poignée de feuilles de basilic, hachées

une poignée de feuilles de menthe, hachées

60 ml/4 c. à soupe de vinaigre balsamique

1   Préchauffer le four à 180 °C/350 °F/gaz 4. Mettre les poitrines de poulet dans un plat de cuisson, arroser de 15 ml/1 c. à soupe d'huile d'olive et couvrir. Enfourner de 20 à 25 minutes jusqu'à ce qu'il soit complètement cuit. Pour tester la cuisson du poulet, le piquer avec le bout d'un couteau et s'assurer que le jus qui coule est clair et non rose. Retirer du four et laisser complètement refroidir.

2   À l'aide d'un couteau tranchant, trancher les mangues sur les 2 côtés en évitant le noyau. À l'intérieur de chaque tranche, couper la chair en tranches en coupant jusqu'à la pelure sans la percer et retirer la chair à l'aide d'une cuillère. Peler les parties restantes de la mangue et couper la chair du noyau en tranches. Déposer la mangue dans un grand saladier et ajouter les avocats, les ciboules, les laitues et les herbes.

3   Hacher ou déchirer le poulet refroidi en bouchées et ajouter dans le bol. Arroser du vinaigre et le reste de l'huile. Touiller délicatement, mais en mélangeant bien. Servir immédiatement.

Déjeuners

Ce plat bourré de nutriments déborde d'antioxydants, de bêta-carotène, de vitamines et de minéraux, ainsi que de saveurs robustes. J'ai réalisé cette version avec des nouilles de riz, mais des nouilles cellophanes conviendraient tout aussi bien.

Nouilles épicées au porc

Donne **4 portions**   Préparation **20 minutes, plus 30 minutes de marinage**   Cuisson **15 minutes**

600 g/1 lb/5 oz de filet de porc, coupé en lanières

250 g/9 oz de nouilles de riz

6 ciboules, partie blanche seulement, tranchées finement

200 g/7 oz/2 tasses de pois sugar snap

400 g/14 oz/4 tasses de fèves germées

1 poivron rouge, épépiné et tranché

1 poivron jaune, épépiné et tranché

1 pak-choï, coupé en tiers, tiges et feuilles séparées

50 g/1¾ oz/⅓ tasse de graines de sésame, pour garnir

une poignée de feuilles de coriandre, hachées, pour garnir

MARINADE :

2 gousses d'ail

1 piment fort rouge, épépiné et coupé en gros morceaux

2 tiges de citronnelle, coupées en gros morceaux

15 ml/1 c. à soupe d'huile de sésame grillée

15 ml/1 c. à soupe d'huile d'olive

30 ml/2 c. à soupe de sauce tamari

15 ml/1 c. à soupe de sauce de poisson thaïe

15 ml/1 c. à soupe de vinaigre de vin de riz

15 ml/1 c. à soupe de sirop d'agave

15 ml/1 c. à soupe de poudre de 5 épices chinoise

Déjeuners

1 Pour faire la marinade, mettre l'ail, le piment fort et la citronnelle dans un petit robot culinaire ou dans un moulin à épices et hacher finement. Mettre le mélange et tous les ingrédients restants de la marinade dans un bol non réactif peu profond et bien mélanger. Ajouter le porc à la marinade et bien remuer. S'assurer que le porc est bien recouvert de la marinade. Couvrir et réfrigérer au moins 30 minutes ou toute la nuit.

2 Mettre les nouilles dans un grand bol à l'épreuve de la chaleur, recouvrir d'eau bouillante et laisser reposer 5 minutes ou jusqu'à ce qu'elles soient tendres. Bien égoutter.

3 Faire chauffer un wok ou une grande poêle à frire à feu vif. Ajouter le porc, la marinade et la ciboule. Faire sauter 5 minutes et ajouter les pois sugar snap, les fèves germées, les poivrons et les tiges de pak-choï. Poursuivre la cuisson encore 5 minutes et ajouter les feuilles de pak-choï. Faire sauter encore 2 à 3 minutes jusqu'à ce que le porc soit cuit et que les légumes soient cuits, mais encore un peu croquants. Incorporer les nouilles et servir parsemé des graines de sésame et des feuilles de coriandre.

Ce mets est incroyablement polyvalent. Vous pouvez le manger chaud à la maison ou l'emballer dans une boîte à lunch pour le manger froid au travail ou à un pique-nique.

Tortilla aux épinards et au jambon de Parme

Donne **4 portions**   Préparation **15 minutes**   Cuisson **30 minutes**

250 ml/9 oz liq/1 tasse d'huile d'olive

2 grosses pommes de terre, tranchées finement

1 gros oignon doux, haché finement

2 gousses d'ail, écrasées

8 tranches de jambon de Parme, hachées

200 g/7 oz de feuilles d'épinards, hachées

6 gros œufs

200 g/7 oz de crevettes crues

sel de mer et poivre noir fraîchement moulu

1   Faire chauffer l'huile dans une grande poêle antiadhésive à feu moyen. Ajouter la moitié des tranches de pommes de terre et cuire de 5 à 6 minutes, en remuant de temps en temps, jusqu'à ce qu'elles soient tendres et commencent à dorer. Retirer de la poêle à l'aide d'une cuillère trouée, réserver et répéter avec le reste des tranches.

2   Ajouter l'oignon dans l'huile et cuire de 2 à 3 minutes, en remuant de temps en temps, jusqu'à ce qu'il commence à dorer. Ajouter l'ail et poursuivre la cuisson 30 secondes. Retirer le mélange de la poêle à l'aide d'une cuillère trouée et jeter l'huile. Remettre le mélange d'oignon et d'ail dans la poêle et ajouter le jambon de Parme et les épinards. Cuire en remuant fréquemment 2 minutes jusqu'à ce que les épinards commencent à ramollir.

3   Battre les œufs dans un bol. Saler et poivrer légèrement. Ajouter les crevettes et les pommes de terre à la poêle et y verser le mélange d'œufs. Remuer délicatement pour bien mélanger et cuire environ 10 minutes jusqu'à ce que le dessous de la tortilla soit doré. Retirer la poêle du feu, mettre une grande assiette à l'envers sur la poêle et retourner la poêle, pour que la tortilla tombe dans l'assiette. Faire glisser la tortilla inversée dans la poêle et cuire l'autre côté 5 minutes ou jusqu'à ce qu'il soit bien doré. Servir chaud.

Vous pensiez ne plus pouvoir manger de pizza ? Détrompez-vous ! Cette pizza sans gluten ni produits laitiers comporte une croûte épaisse qui est délicieusement croquante et croustillante sur les bords.

Pizza aux artichauts, au jambon de Parme et aux olives

Donne **2 portions**   Préparation **25 minutes, plus 1 heure de levée**   Cuisson **15 minutes**

60 ml/4 c. à soupe de passata

22,5 ml/1½ c. à soupe de pâte de tomates

80 g/2¾ oz/1 tasse rase d'artichauts en boîte ou en bouteille, dans l'eau ou dans l'huile, égouttés et déchirés en morceaux

50 g/1¾ oz de jambon de Parme, tranché finement

40 g/1½ oz/⅓ tasse d'olives dénoyautées, coupées en 2

30 à 60 g/1 à 2¼ oz/⅓ à ⅔ tasse de fromage de soja, en lamelles

PÂTE À PIZZA :

85 g/3 oz/½ tasse rase de farine de riz, plus pour abaisser la pâte

85 g/3 oz/¾ tasse de farine de pois chiche

30 g/1¼ oz/¼ tasse de farine de maïs

2,5 ml/½ c. à thé rase de gomme xanthane

2,5 ml/½ c. à thé de sel

5 ml/1 c. à thé de levure sèche active

30 ml/2 c. à soupe d'huile d'olive

Déjeuners

1   Pour faire la pâte à pizza, tamiser ensemble les farines, la gomme xanthane et le sel dans un robot culinaire. Ajouter la levure et mélanger pour incorporer. Ajouter l'huile d'olive et bien mélanger. Ajouter 100 ml/3½ oz/½ tasse d'eau tiède, un peu à la fois, et continuer à mélanger pour former une pâte molle. Mélanger 10 minutes pour aérer la pâte. Mettre la pâte dans un bol propre, recouvrir de pellicule plastique et laisser reposer à température ambiante 1 heure jusqu'à ce que la pâte ait levé.

2   Préchauffer le four à 220 °C/425 °F/gaz 7 et tapisser une plaque à pâtisserie de papier sulfurisé. Déposer la pâte sur un plan de travail légèrement enfariné et pétrir un peu. Former en boule. Aplatir légèrement la pâte, l'abaisser en un cercle d'environ 5 mm/¼ po d'épaisseur et tailler les bords à l'aide d'un couteau tranchant. Transférer la pâte sur la plaque à pâtisserie.

3   Mettre la passata et la pâte de tomates dans un bol et bien mélanger. Étaler sur la base de la pizza et parsemer des artichauts, du jambon et des olives. Enfourner 12 minutes jusqu'à ce que la base commence à dorer et que la sauce aux tomates bouillonne. Retirer la pizza du four et parsemer du fromage. Remettre dans le four de 1 à 2 minutes jusqu'à ce que le fromage commence à fondre. Servir immédiatement.

L'assaisonnement aux prunes ume, fait à partir de prunes umeboshi, a une saveur acide qui remplace à merveille les agrumes ou le vinaigre. Dans cette recette, il procure une saveur acidulée à la salade de nouilles et de bœuf.

Salade asiatique au bœuf et aux vermicelles de haricots mungo

Donne **4 portions**   Préparation **25 minutes**   Cuisson **5 minutes**

200 g/7 oz de vermicelles de haricots mungo

15 ml/1 c. à soupe d'huile d'olive

2 gros biftecks de surlonge

une grosse poignée de feuilles de coriandre, hachées

une poignée de feuilles de menthe, hachées

1 concombre, coupé en allumettes

3 carottes, coupées en allumettes

12 ciboules, partie blanche seulement, tranchées finement

2 laitues « Little Gem » ou très petites romaines, déchirées en bouchées

sel de mer

100 g/3½ oz/⅔ tasse d'arachides, hachées, pour garnir

VINAIGRETTE AUX PRUNES UME :

2 piments forts, épépinés et hachés en gros morceaux

2 gousses d'ail, écrasées

jus de 1 lime

30 ml/2 c. à soupe de sirop d'agave

30 ml/2 c. à soupe d'assaisonnement aux prunes ume

30 ml/2 c. à soupe de sauce de poisson thaïe

45 ml/3 c. à soupe d'huile d'olive

1   Pour faire la vinaigrette, mettre les piments forts dans un petit robot culinaire ou dans un moulin à épices et hacher finement. Mettre dans un contenant et ajouter tous les autres ingrédients de la vinaigrette. Fouetter pour combiner et réserver.

2   Mettre les nouilles cellophanes dans un grand bol à l'épreuve de la chaleur, recouvrir d'eau bouillante et laisser reposer 5 minutes jusqu'à ce qu'elles soient translucides. Bien égoutter.

3   Faire chauffer l'huile dans une poêle ou sur une plaque à frire à feu moyen. Saler légèrement les biftecks et les frire 2 minutes de chaque côté ou jusqu'à ce que l'extérieur soit bruni, mais que l'intérieur soit encore rose. Trancher chaque bifteck en lanières et les déposer dans un grand saladier. Ajouter les nouilles et tous les autres ingrédients, à l'exception des arachides. Verser la vinaigrette sur la salade et bien touiller. Parsemer des arachides et servir.

Le thon est une excellente source d'acides gras oméga-3. Dans cette recette, il est servi accompagné d'une salsa aux tomates et enveloppé dans des tortillas chaudes. Vous ne voudrez plus jamais manger de sandwichs secs après avoir essayé ceux-ci !

Wraps au thon, avocat et salsa de tomates

Donne **4 portions**   Préparation **15 minutes, plus le temps de faire les tortillas**   Cuisson **5 minutes**

4 tomates, en dés

6 ciboules, finement tranchées

1 gros piment fort rouge, épépiné et haché finement

une grosse poignée de feuilles de coriandre, hachées

jus de 1 lime

3 avocats, pelés, dénoyautés et pilés grossièrement

4 darnes de thon

15 ml/1 c. à soupe d'huile d'olive

1 recette de Tortilla de maïs (p. 17), chaude

8 grosses feuilles d'épinards

sel de mer

1   Pour faire la salsa, mélanger les tomates, les ciboules, le piment fort, les feuilles de coriandre et le jus de lime dans un grand bol et réserver. Saler légèrement l'avocat.

2   Faire chauffer une poêle ou une plaque à frire à feu vif. Badigeonner légèrement d'huile chaque côté du thon, saler légèrement et cuire de 2 à 3 minutes par côté jusqu'à ce qu'il soit brun à l'extérieur, mais encore un peu rose à l'intérieur. Retirer de la poêle et laisser reposer de 2 à 3 minutes. Couper en tranches fines.

3   Étaler quelques cuillerées d'avocat dans le centre de chaque tortilla. Couvrir de 1 feuille d'épinards, quelques lanières de thon et quelques cuillerées de salsa. Rouler les tortillas. Utiliser du papier sulfurisé pour les tenir fermement et couper chacun en 2 sur la diagonale. Utiliser des bâtonnets à cocktail ou des cure-dents pour empêcher les tortillas de se dérouler, au besoin, et servir.

Déjeuners

La fécule de maïs est un ingrédient précieux. Vous pouvez l'utiliser pour épaissir les sauces et les desserts et la combiner à des épices pour faire un enrobage délicieux pour les poissons et les fruits de mer, en particulier les calmars dans cette recette.

Calmars au sel et au poivre

Donne **4 portions**   Préparation **15 minutes**   Cuisson **15 minutes**

400 g/14 oz de jeunes calmars, nettoyés

5 ml/1 c. à thé de grains de poivre du Sichuan

5 ml/1 c. à thé de sel de mer

1 ml/¼ c. à thé de poudre de 5 épices chinoise

60 ml/4 c. à soupe de fécule de maïs

500 ml/17 oz liq/2 tasses d'huile de colza

quartiers de lime, pour accompagner

SAUCE TREMPETTE :

1 morceau de 1 cm/½ po de racine de
    gingembre, pelé et haché grossièrement

1 piment fort rouge, épépiné et haché
    grossièrement

15 ml/1 c. à soupe de sauce de poisson thaïe

15 ml/1 c. à soupe de sauce tamari

30 ml/2 c. à soupe de miel clair

jus de 1 lime

une petite poignée de feuilles de coriandre

Déjeuners

1   Mettre tous les ingrédients de la sauce trempette dans un petit robot culinaire ou dans un moulin à épices. Hacher jusqu'à la consistance lisse.

2   Couper les tentacules des calmars et réserver. À l'aide d'un couteau tranchant, couper un côté du cornet du calmar et aplatir. Inciser des formes de diamant à l'intérieur et éponger les cornets et les tentacules à l'aide d'essuie-tout.

3   Faire chauffer une poêle à frire à fond épais à feu doux. Ajouter les grains de poivre du Sichuan et cuire de 2 à 3 minutes jusqu'à ce qu'ils brunissent légèrement, en remuant sans arrêt, pour qu'ils ne brûlent pas. Retirer du feu et transférer dans un petit robot culinaire ou à un moulin à épices. Ajouter le sel et moudre finement. Transférer dans un petit bol et incorporer la poudre de 5 épices et la fécule de maïs.

4   Tremper les cornets et les tentacules de calmar dans le mélange de farine en prenant soin de bien les enrober et réserver dans une assiette.

5   Faire chauffer l'huile dans une poêle à frire profonde ou dans un wok à feu vif. En travaillant par lots pour éviter de trop remplir la poêle, frire le calmar 3 minutes ou jusqu'à ce qu'il soit légèrement doré. Retirer de l'huile à l'aide d'une cuillère trouée et égoutter sur des essuie-tout. Servir immédiatement accompagné de la sauce trempette.

Mon mari adore cette recette! Les saveurs nettes et piquantes du piment fort et du citron se marient aux herbes et aux fruits de mer dans un plat délicieux à souhait.

Pâtes aux écrevisses et aux asperges

Donne **4 portions**   Préparation **15 minutes**   Cuisson **15 minutes**

2 échalotes, coupées en 2

1 piment fort rouge, coupé en 2 et épépiné

2 gousses d'ail

3 lanières de zeste de citron

105 ml/7 c. à soupe d'huile d'olive

350 g/12 oz de pâtes sans gluten

350 g/12 oz d'asperges, bouts fibreux retirés et tiges coupées en 3

100 ml/3½ oz/½ tasse de Fumet de poisson (p. 20) ou de fumet fait de poudre sans gluten et sans produits laitiers

350 g/12 oz de queues d'écrevisses

une grande poignée de feuilles de persil italien, hachées

jus de ½ citron, plus des quartiers de citron pour accompagner

sel de mer et poivre noir fraîchement moulu

1 Mettre les échalotes, le piment fort, l'ail et le zeste de citron dans un petit robot culinaire ou dans un moulin à épices. Hacher finement en s'assurant que le zeste est grossièrement haché.

2 Amener une grande casserole d'eau à ébullition et incorporer 15 ml/1 c. à soupe d'huile. Ajouter les pâtes et cuire à feu moyen de 8 à 10 minutes ou selon les instructions sur l'emballage jusqu'à ce qu'elles soient tendres. Remuer de temps en temps, pour éviter que les pâtes collent. Égoutter et bien rincer avec de l'eau fraîchement bouillie et égoutter à nouveau.

3 Pendant ce temps, dans une grande casserole à fond épais, faire chauffer 60 ml/4 c. à soupe de l'huile restante à feu moyen. Ajouter le mélange d'échalotes et frire, en remuant, environ 1 minute jusqu'à ce qu'il commence à dorer. Ajouter les asperges et bien remuer. Poursuivre la cuisson 1 minute et ajouter le fumet de poisson. Cuire couvert 4 minutes et ajouter les écrevisses. Poursuivre la cuisson 2 minutes jusqu'à ce que les asperges soient tendres, mais encore un peu croquantes.

4 Ajouter les pâtes cuites à la casserole et bien mélanger. Ajouter le persil, le jus de citron et les 30 ml/2 c. à soupe d'huile d'olive restantes. Saler et poivrer. Servir immédiatement accompagné de quartiers de citron, pour arroser le tout.

Profitez des délicieuses féveroles fraîches, lorsque vous en trouvez. Si elles ne sont pas en saison, vous pouvez aussi utiliser des féveroles surgelées ou des haricots edamame.

Bruschetta aux crevettes, aux féveroles et à l'avocat

Donne **4 portions**   Préparation **15 minutes, plus le temps de faire le pain**   Cuisson **5 minutes**

1 kg/2 lb/4 oz de féveroles fraîches, écossées (ou 200 g/7 oz/1½ tasse de féveroles congelées)

1 avocat

350 g/12 oz de crevettes cuites, hachées

15 ml/1 c. à soupe de feuilles de menthe hachées, plus quelques brins de menthe pour cuire

15 ml/1 c. à soupe de feuilles de basilic, hachées finement

une petite poignée de feuilles de coriandre, hachées finement

15 ml/1 c. à soupe de jus de lime

30 ml/2 c. à soupe d'huile d'olive

2,5 ml/½ c. à thé rase de piment rouge broyé

2 à 3 gousses d'ail, pelées

12 à 16 tranches de Pain blanc (p. 14), grillées

sel de mer

1   Mettre les féveroles et les brins de menthe dans un cuiseur à vapeur et cuire, couvert, à feu vif de 4 à 5 minutes jusqu'à ce que les féveroles soient tendres. Retirer la menthe et la jeter.

2   Rincer les féveroles à l'eau froide. Bien rincer et les transférer dans un bol. Presser les féveroles pour faire sortir la chair de la peau et jeter les peaux. Piler grossièrement les féveroles. Peler l'avocat, retirer et jeter le noyau. Piler grossièrement la chair et l'incorporer aux féveroles. Ajouter les crevettes, les herbes hachées, le jus de lime, l'huile d'olive et le piment broyé. Bien mélanger. Saler, au goût.

3   Frotter l'ail sur les tranches de pain grillé et garnir d'une cuillerée du mélange aux crevettes. Servir immédiatement.

Le quinoa renferme la totalité des huit acides aminés essentiels, ainsi que des quantités élevées de calcium et de magnésium. Il est donc un excellent élément à ajouter à votre répertoire. Faire frire le quinoa avant d'ajouter l'eau rehausse son goût et sa texture.

Légumes rôtis et quinoa

Donne **4 portions**   Préparation **15 minutes**   Cuisson **45 minutes**

20 petites carottes

10 petites betteraves

3 petits bulbes de fenouil, feuilles retirées,
    coupés en quartiers

2 aubergines, coupées en quartiers

2 poivrons rouges, épépinés et coupés en
    quartiers

125 ml/4 oz liq/½ tasse d'huile d'olive

1 gros oignon, haché

300 g/10½ oz/1½ tasse de quinoa

10 ml/2 c. à thé de cumin moulu

10 ml/2 c. à thé de coriandre moulue

jus de 1 citron

une grosse poignée de feuilles de coriandre,
    hachées

une grosse poignée de feuilles de persil italien,
    hachées

sel de mer

1   Préchauffer le four à 180 °C/350 °F/gaz 4. Mettre les carottes et les betteraves dans une grande rôtissoire. Mettre le fenouil, les aubergines et les poivrons dans une autre grande rôtissoire. Verser la moitié de l'huile d'olive dans les 2 rôtissoires et bien mélanger pour enrober. Enfourner les carottes et les betteraves 10 minutes. Mettre l'autre rôtissoire dans le four et poursuivre la cuisson de 30 à 35 minutes jusqu'à ce que tous les légumes soient légèrement dorés et tendres.

2   Pendant ce temps, faire chauffer le reste de l'huile d'olive dans une casserole à feu moyen. Ajouter l'oignon et cuire, en remuant de temps en temps, 2 minutes. Ajouter le quinoa et poursuivre la cuisson, en remuant de temps en temps, 4 à 5 minutes jusqu'à ce qu'il soit doré uniformément. Ajouter 600 ml/21 oz liq/2½ tasses d'eau et amener à ébullition à feu vif. Baisser le feu et laisser mijoter 20 minutes ou jusqu'à ce que le quinoa soit tendre. Ajouter de l'eau, au besoin.

3   Mélanger les légumes et le quinoa dans un grand bol. Ajouter le cumin, la coriandre moulue, le jus de citron et les feuilles de coriandre et de persil. Saler et servir chaud ou froid.

Il n'y a pas de plus grand plaisir que de déguster une excellente version sans gluten ni produits laitiers d'une recette classique. Cette version comporte des courgettes frites, pour ajouter une douce saveur grillée, et de la sauge aromatique, pour faire un repas véritablement réconfortant.

Spaghetti carbonara aux courgettes et à la sauge

Donne **4 portions**   Préparation **15 minutes**   Cuisson **25 minutes**

125 ml/4 oz liq/½ tasse d'huile d'olive

2 courgettes, parées, coupées en 2 et coupées en rubans sur la longueur à l'aide d'un économe

400 g/14 oz de spaghettis sans gluten

300 g/10½ oz de pancetta

15 ml/1 c. à soupe comble de feuilles de sauge, hachées

4 gros jaunes d'œufs

80 ml/2½ oz liq/⅓ tasse de crème de soja

200 g/7 oz/2 tasses de fromage de soja, râpé

sel de mer et poivre noir fraîchement moulu

1 Faire chauffer 90 ml/6 c. à soupe d'huile dans un wok ou dans une grande poêle à frire à feu moyen. En travaillant par lots, ajouter une grande poignée de rubans de courgette et frire, en remuant de temps en temps, 5 à 6 minutes jusqu'à ce qu'ils soient tendres et légèrement dorés. À l'aide d'une cuillère trouée, retirer les courgettes de la poêle et réserver.

2 Amener une grande casserole d'eau à ébullition. Ajouter 15 ml/1 c. à soupe de l'huile restante et les spaghettis. Pousser les pâtes dans l'eau à mesure qu'elles ramollissent. Cuire à feu mi-vif de 8 à 10 minutes ou selon les instructions sur l'emballage. Remuer fréquemment, pour éviter que les spaghettis collent.

3 Pendant ce temps, faire chauffer l'huile restante dans une poêle à frire à feu moyen. Ajouter la pancetta et frire, en remuant de temps en temps, de 5 à 6 minutes jusqu'à ce qu'elle soit croustillante. Retirer la pancetta de la poêle à l'aide d'une cuillère trouée et réserver. Ajouter la sauge et frire de 1 à 2 minutes jusqu'à ce qu'elle soit croustillante. Mettre de côté et réserver le gras dans la poêle.

4 Dans un bol de taille moyenne, fouetter les jaunes d'œufs et la crème de soja. Incorporer le fromage de soja en fouettant et réserver.

5 Égoutter les spaghettis et bien rincer à l'eau bouillante. Égoutter à nouveau en laissant un peu d'eau. Remettre les spaghettis dans la casserole et incorporer rapidement le mélange aux œufs. Ajouter rapidement la courgette, la pancetta et la sauge et tout le gras restant dans la poêle. Bien remuer, saler et poivrer et servir immédiatement.

J'adore la pâtisserie. Lorsque j'ouvre la porte du four et que j'en sors le résultat final, j'ai la sensation d'avoir créé quelque chose de merveilleux. Cette tarte déborde des saveurs délicieuses et des arômes de fraîcheur de l'été.

Tarte aux tomates

Donne **4 portions**   Préparation **5 minutes, plus le temps de faire la croûte**   Cuisson **50 minutes**

margarine sans produits laitiers, pour graisser

2 aubergines

1 recette de Croûte légère à pâtisserie (p. 18)

farine de riz, pour abaisser la croûte

100 g/3½ oz de pâte de tomates séchées au soleil

6 à 7 tomates, tranchées et bouts jetés

12 tomates cerise, coupées en 2 sur la longueur

une petite poignée de feuilles de basilic, hachées finement

sel de mer et poivre noir fraîchement moulu

1   Préchauffer le four à 200 °C/400 °F/gaz 6 et graisser un moule à tarte rectangulaire à fond amovible de 20 × 30 cm/8 × 12 po de margarine. Piquer les aubergines sur toute leur surface à l'aide d'une fourchette, les disposer dans une plaque à cuisson et enfourner 45 minutes jusqu'à ce qu'elles soient très tendres.

2   Pendant ce temps, fariner une grande planche à découper de farine de riz et abaisser délicatement la pâte à une épaisseur d'environ 5 mm/¼ po. Déposer le fond amovible du moule sur la pâte. À l'aide d'un couteau tranchant, découper tout autour. Former une boule avec les retailles et réserver. Soulever la planche à découper et retourner pour faire tomber le fond et la pâte dans le moule.

3   Fariner la planche de farine de riz à nouveau et abaisser délicatement le reste de la pâte. Couper en lanières assez larges pour tapisser les parois du moule. Pour bien fixer les côtés de la tarte, badigeonner légèrement de l'eau sur les bords inférieurs des lanières de pâte qui chevaucheront la base. Presser délicatement la pâte sur les parois du moule et le long du fond où les côtés rencontrent le fond, en prenant soin d'éliminer toute bulle d'air. Tailler l'excédent de pâte à l'aide d'un couteau tranchant et piquer le fond de la croûte avec une fourchette. Tapisser le dessus de la pâte avec du papier sulfurisé et remplir de haricots secs. À côté, cuire les aubergines 15 minutes, jusqu'à ce qu'elles soient légèrement dorées. Sortir le moule du four et retirer le papier sulfurisé et les haricots. Remettre au four 2 à 3 minutes.

4   Retirer les aubergines du four et baisser la température à 180 °C/350 °F/gaz 4. Couper les aubergines en 2, retirer leur chair à l'aide d'une cuillère et la mettre dans un bol. Bien écraser à l'aide d'une fourchette et incorporer la pâte de tomates séchées au soleil.

5   Étaler le mélange d'aubergines et de tomates dans le fond du moule et recouvrir des tomates tranchées et des tomates cerises. Parsemer du basilic. Saler et poivrer. Enfourner de 20 à 25 minutes jusqu'à ce que la croûte soit brun doré. Servir chaude ou froide.

L'aramé est mon légume de mer préféré. Il a un agréable goût de noix et un profil nutritionnel exceptionnel, fournissant des quantités incroyables de calcium, de fer et de magnésium, ainsi que des phytonutriments.

Sauté d'aramé et de noix de cajou

Donne **4 portions**   Préparation **15 minutes, plus 30 minutes de trempage**   Cuisson **10 minutes**

20 g/¾ oz d'aramé

15 ml/1 c. à soupe de kuzu

30 ml/2 c. à soupe d'huile de sésame grillée

30 ml/2 c. à soupe d'huile d'olive

1 oignon, haché finement

2 gousses d'ail, écrasées

morceau de 2,5 cm/1 po de racine de gingembre, pelé et haché finement

2 carottes, coupées en allumettes

2 poivrons jaunes ou orange, épépinés et coupés en tranches fines

100 g/3½ oz de chou chinois, tranché finement

150 g/5½ oz de pois mange-tout

200 g/7 oz/2¼ oz de fèves germées

37,5 ml/ 2½ c. à soupe de sauce tamari, plus au besoin

37,5 ml/2½ c. à soupe de vinaigre de vin de riz

37,5 ml/2½ c. à soupe de sirop d'agave

100 ml/3½ oz liq/½ tasse de Bouillon de légumes (p. 21) ou de bouillon de légumes fait de poudre sans gluten et sans produits laitiers

150 g/5½ oz/1 tasse de noix de cajou

1   Faire tremper l'aramé dans un bol d'eau froide environ 30 minutes. Égoutter et rincer. Pendant ce temps, mettre le kuzu et 15 ml/1 c. à soupe d'eau froide dans un petit bol et remuer pour obtenir une pâte lisse. Réserver.

2   Faire chauffer les 2 huiles dans un wok ou dans une grande poêle à feu vif. Ajouter l'oignon et faire sauter 1 minute. Incorporer l'ail et le gingembre. Ajouter la carotte, les poivrons et le chou et faire sauter de 2 à 3 minutes. Ajouter les pois mange-tout, les fèves germées et l'aramé trempé et faire sauter 2 minutes de plus.

3   Incorporer la sauce tamari, le vinaigre de vin de riz et le sirop d'agave. Ajouter la pâte de kuzu et le bouillon. Cuire en remuant 2 à 3 minutes jusqu'à ce que tous les légumes soient cuits, mais encore bien croquants.

4   Incorporer les noix de cajou. Vérifier les assaisonnements et rajouter de la sauce tamari, au besoin. Servir chaud.

Déjeuners

Cet assortiment de recettes de mezze peut servir de déjeuner de réception pour vos amis et votre famille, en petite ou en grande quantité. Faites tous les mets la veille, et profitez d'une journée de détente!

Trempette à la grenade et au yogourt

Donne **4 portions**   Préparation **10 minutes**   Cuisson **5 minutes**

50 g/1¾ oz/⅓ tasse de pignons

350 g/12 oz/1⅔ tasse de yogourt de soja nature

2 grenades

1 gousse d'ail, écrasée

une poignée de feuilles de menthe, hachées

une poignée de feuilles de coriandre, hachées

sel de mer

1   Faire chauffer une poêle à fond épais à feu moyen. Ajouter les pignons et cuire, en remuant sans arrêt, de 3 à 4 minutes jusqu'à ce qu'ils commencent à dorer. Retirer du feu et réserver.

2   Fouetter le yogourt dans un grand bol jusqu'à ce qu'il soit lisse. Couper les grenades en 2 et, en tenant chaque moitié au-dessus du bol, frapper la peau extérieure jusqu'à ce que tous les arilles tombent dans le bol. Il faut frapper la peau plusieurs fois avant que les arilles commencent à tomber, mais ils tomberont. Ajouter les pignons, l'ail, les feuilles de menthe et de coriandre et bien mélanger. Saler légèrement et servir immédiatement ou couvrir et réfrigérer jusqu'au moment de servir.

Tartinade à l'aubergine

Donne **4 portions**   Préparation **10 minutes**   Cuisson **45 minutes**

2 aubergines

45 ml/3 c. à soupe de tahini

jus de 2 citrons

2 gousses d'ail, écrasées

30 ml/2 c. à soupe d'huile d'olive

une grosse poignée de feuilles de persil, hachées

une poignée de feuilles de menthe, hachées

sel de mer

1   Préchauffer le four à 200 °C/400 °F/gaz 6. Piquer les aubergines sur toute leur surface à l'aide d'une fourchette, les disposer sur une plaque à cuisson et enfourner 45 minutes jusqu'à ce qu'elles soient tendres. Couper en 2. À l'aide d'une cuillère, retirer la chair et la mettre dans un robot culinaire. Ajouter le tahini, le jus de citron, l'ail et l'huile. Saler légèrement.

2   Bien mélanger et transférer dans un bol. Incorporer le persil et la menthe. Servir immédiatement ou couvrir et réfrigérer jusqu'au moment de servir.

Salade de fenouil et de tomates

Donne **4 portions**   Préparation **15 minutes**

2 bulbes de fenouil

½ concombre, coupé en dés

½ oignon rouge, tranché

4 tomates, coupées en dés

jus de 1 citron

60 ml/4 c. à soupe d'huile d'olive

une grosse poignée de feuilles de coriandre, hachées

une grosse poignée de feuilles de persil, hachées

sel de mer

1   Parer les frondes feuillues du dessus du fenouil et les mettre dans un saladier. Trancher les bulbes de fenouil en 2 sur la longueur. Couper en tranches fines et ajouter au saladier. Ajouter tous les ingrédients restants et bien mélanger.

2   Saler légèrement et servir immédiatement ou couvrir et réfrigérer jusqu'au moment de servir.

Trempette aux haricots cannellini

Donne **4 portions**   Préparation **10 minutes, plus au moins 12 heures de trempage (facultatif)**
Cuisson **1 heure 40 minutes**

100 g/3½ oz/½ tasse de haricots cannellini secs ou 230 g/8 oz/1¼ tasse de haricots cannellini en boîte, égouttés et rincés

une pincée de cumin moulu

1 gousse d'ail, écrasée

15 ml/1 c. à soupe de mélasse de grenade

15 ml/1 c. à soupe de jus de citron

2,5 ml/½ c. à thé rase de pâte harissa

45 ml/3 c. à soupe d'huile d'olive

sel de mer

1   Si des haricots secs sont utilisés, les mettre dans un bol et recouvrir d'eau froide. Laisser tremper toute la nuit ou au moins 12 heures. Égoutter et bien rincer. Transférer dans une grande casserole, couvrir d'eau fraîche et amener à ébullition à feu vif. Faire bouillir 10 minutes. Baisser le feu et laisser mijoter de 1 à 1½ heure jusqu'à ce qu'ils soient tendres. Bien égoutter.

2   Mettre tous les ingrédients dans un robot culinaire, saler et mélanger de 3 à 4 minutes jusqu'à la consistance lisse. Laisser refroidir. Servir ou couvrir et réfrigérer jusqu'au moment de servir.

Gâteries du four

La pâtisserie peut être ridiculement simple — et merveilleusement satisfaisante. Les arômes qui embaument la cuisine et les créations qui émergent du four semblent presque magiques, et ce, encore plus lorsque vous cuisinez sans gluten ni produits laitiers. Allumez le four, alignez vos ingrédients et mélangez — ça fait du bien à l'âme! Plongez dans les riches Florentins aux mangues et aux noisettes, le sucré Gâteau aux abricots, au yogourt et au miel ou le léger Gâteau aux amandes, par exemple. Ajoutez un autre pain à votre répertoire en essayant la Miche aux fruits; créez un bout de paradis terrestre avec les Cupcakes aux framboises et à l'eau de rose ou les Tartelettes portugaises à la crème; concoctez le spectaculaire Gâteau d'anniversaire au chocolat.

Gâteau aux pommes, page 100 >

J'ai utilisé des figues pour rendre ces biscuits plus moelleux, les tenir ensemble et leur donner une consistance molle et croquante — mais aussi parce qu'elles rendent cette version d'un biscuit au chocolat vraiment santé!

Biscuits au chocolat et aux figues

Donne **12 biscuits**   Préparation **15 minutes**   Cuisson **40 minutes**

150 g/5½ oz/1 tasse de figues séchées, tiges jetées, hachées finement

100 g/3½ oz de margarine sans produits laitiers

100 g/3½ oz/½ tasse rase de fructose ou de sucre semoule

100 g/3½ oz de chocolat noir sans produits laitiers à 70 % de solides de cacao, cassé en petits morceaux

1 œuf, battu

10 ml/2 c. à thé d'extrait de vanille

100 g/3½ oz/½ tasse comble de farine de riz

50 g/1¾ oz/½ tasse rase de farine de pois chiche

50 g/1¾ oz/⅓ tasse de farine de maïs

2,5 ml/½ c. à thé de levure chimique sans gluten

2,5 ml/½ c. à thé de gomme xanthane

1   Préchauffer le four à 180 °C/350 °F/gaz 4 et tapisser 2 plaques à pâtisserie de papier sulfurisé. Mettre les figues et 350 ml/12 oz liq/1½ tasse d'eau dans une casserole. Amener à ébullition à feu vif et baisser le feu à « moyen ». Laisser mijoter 20 minutes, en remuant de temps en temps, jusqu'à ce que les figues soient tendres et que l'eau ait été absorbée.

2   Pendant ce temps, mettre la margarine sans produits laitiers et le sucre dans une casserole et faire chauffer à feu doux jusqu'à ce que la margarine ait fondu et que le sucre soit dissout. Amener à ébullition à feu vif, baisser le feu à « moyen-doux » et laisser mijoter de 4 à 5 minutes jusqu'à ce que le mélange devienne sirupeux et légèrement plus foncé.

3   Lorsque le mélange au sucre a changé de couleur, baisser le feu à « doux » et ajouter le chocolat. Laisser toujours mijoter, en remuant de temps en temps, jusqu'à ce que le chocolat fonde. Ajouter l'œuf et l'extrait de vanille et bien mélanger. Verser le mélange dans un grand bol à mélanger et y tamiser les farines, la levure chimique sans gluten et la gomme xanthane. Ajouter les figues ramollies et bien remuer avec une cuillère à bois jusqu'à ce que le tout soit bien mélangé.

4   Façonner 15 ml/1 c. à soupe du mélange en boule avec vos mains et placer sur la plaque à pâtisserie. Presser avec les dents d'une fourchette, pour marquer. Répéter avec le reste du mélange pour obtenir 12 biscuits.

5   Enfourner 20 minutes ou jusqu'à ce qu'ils soient légèrement dorés. Retirer du four et laisser refroidir 5 minutes. Transférer sur une grille en métal et laisser complètement refroidir avant de servir.

J'adorais ces biscuits lorsque j'étais enceinte et souffrais de nausées matinales. Ils sont très simples à faire — et le gingembre qu'ils contiennent soulage les problèmes de digestion et la nausée.

Biscuits au gingembre

Donne **12 biscuits**   Préparation **15 minutes**   Cuisson **20 minutes**

175 g/6 oz de margarine sans produits laitiers

125 g/4½ oz/¾ tasse de fructose ou de sucre semoule

100 g/3½ oz/½ tasse comble de farine de riz

50 g/1¾ oz/½ tasse comble de farine de pois chiche

50 g/1¾ oz/⅓ tasse de farine de maïs

10 ml/2 c. à thé de gingembre moulu

2,5 ml/½ c. à thé de levure chimique sans gluten

2,5 ml/½ c. à thé rase de gomme xanthane

1 morceau de 1 cm/½ po de racine de gingembre, pelé et râpé

1   Préchauffer le four à 180 °C/350 °F/gaz 4 et tapisser 2 plaques à pâtisserie de papier sulfurisé. Mettre la margarine sans produits laitiers et le sucre dans une casserole et faire chauffer à feu doux jusqu'à ce que la margarine ait fondu et que le sucre soit dissout. Amener à ébullition à feu vif, baisser le feu à « moyen-doux » et laisser mijoter de 4 à 5 minutes jusqu'à ce que le mélange caramélise légèrement et devienne sirupeux.

2   Tamiser les farines dans un grand bol à mélanger et incorporer le gingembre moulu, la levure chimique sans gluten et la gomme xanthane. Ajouter le gingembre et le frotter dans le mélange de farine jusqu'à ce que le tout soit bien mélangé. Ajouter la margarine et le sirop de sucre. Bien mélanger avec une cuillère en bois.

3   Déposer le mélange, 15 ml/1 c. à soupe à la fois, sur les plaques à pâtisserie. Avec vos mains et le dos d'une cuillère en métal, façonner chaque tas en forme ronde d'environ 3 mm/⅛ po d'épaisseur.

4   Enfourner de 8 à 12 minutes jusqu'à ce qu'ils soient légèrement dorés. Retirer du four et laisser refroidir 5 minutes. Transférer sur une grille en métal et laisser complètement refroidir avant de servir.

Voici une version santé de la recette de florentins classiques. Elle comporte des mangues séchées au lieu de zeste confit et de cerises glacées bourrés de sucre.

Florentins à la mangue et aux noisettes

Donne **8 à 10 biscuits**   Préparation **15 minutes, plus 30 minutes de réfrigération**
Cuisson **35 minutes**

100 g/3½ oz de mangues séchées, hachées

75 g/2½ oz de margarine sans produits laitiers, plus pour graisser

75 g/2½ oz/½ tasse rase de fructose ou de sucre semoule

15 ml/1 c. à soupe de farine de riz

15 ml/1 c. à soupe de farine de pois chiche

15 ml/1 c. à soupe de farine de maïs

1 ml/¼ c. à thé de gomme xanthane

50 g/1¾ oz/⅓ tasse comble de noisettes hachées

100 g/3½ oz de chocolat noir sans produits laitiers à 70 % de solides de cacao, haché

1   Préchauffer le four à 180 °C/350 °F/gaz 4. Tapisser 2 plaques à pâtisserie de papier sulfurisé et les graisser avec la margarine sans produits laitiers. Mettre les mangues séchées et 250 ml/9 oz liq/1 tasse d'eau dans une casserole. Amener à ébullition à feu vif. Baisser le feu à « moyen » et laisser mijoter de 15 à 20 minutes jusqu'à ce que les mangues soient tendres et que l'eau ait été absorbée.

2   Pendant ce temps, mettre la margarine sans produits laitiers et le sucre dans une casserole et faire chauffer à feu doux jusqu'à ce que la margarine ait fondu et que le sucre soit dissout. Amener à ébullition à feu vif, baisser le feu à « moyen-doux » et laisser mijoter de 4 à 5 minutes jusqu'à ce que le mélange caramélise légèrement et devienne sirupeux.

3   Tamiser les farines et la gomme xanthane dans un grand bol à mélanger. Ajouter les noisettes, les mangues ramollies, la margarine et le sirop de sucre. Bien remuer avec une cuillère en bois jusqu'à ce que le tout soit bien mélangé. Déposer le mélange, 15 ml/1 c. à soupe à la fois, sur les plaques à pâtisserie en faisant de 8 à 10 boules. Laisser un peu d'espace entre chacune. Presser sur chaque tas avec le dos d'une cuillère pour former des formes rondes d'environ 2 mm/^{1}/$_6$ po d'épaisseur. Enfourner de 10 à 12 minutes jusqu'à ce que les biscuits soient légèrement dorés. Retirer du four et laisser refroidir 5 minutes. Transférer sur une grille en métal et laisser complètement refroidir.

4   Pendant ce temps, mettre le chocolat au bain-marie. Remuer de temps en temps jusqu'à ce que le chocolat ait fondu. Lorsque les biscuits ont refroidi, les déposer côté plat vers le haut sur une assiette et déposer délicatement un peu de chocolat fondu sur chacun. Étaler uniformément. Réfrigérer les biscuits 30 minutes ou jusqu'à ce que le chocolat soit ferme et servir.

Des graines de chanvre, des figues, des dattes et de la mélasse de grenade procurent une touche marocaine à cette barre à la fois collante et croquante.

Barres aux figues et aux dattes

Donne **8 barres**   Préparation **15 minutes**   Cuisson **35 minutes**

margarine sans produits laitiers, pour graisser

200 g/7 oz/1¼ tasse de figues séchées, tiges jetées, hachées

100 g/3½ oz/½ tasse comble de dattes dénoyautées, hachées

50 g/1¾ oz/⅓ tasse de pignons

15 ml/1 c. à soupe de mélasse de grenade

30 ml/2 c. à soupe de sirop d'agave

150 g/5½ oz/1 tasse comble de flocons de riz

15 ml/1 c. à soupe de graines de chanvre

1   Préchauffer le four à 180 °C/350 °F/gaz 4. Graisser 2 moules à pain de 450 g/1 lb de margarine sans produits laitiers et tapisser le fond de papier sulfurisé. Mettre les figues, les dattes et 375 ml/13 oz liq/1½ tasse d'eau dans une casserole. Amener à ébullition à feu vif et baisser le feu à « moyen ». Laisser mijoter 15 minutes ou jusqu'à ce que les fruits soient tendres et que l'eau ait été absorbée.

2   Pendant ce temps, faire chauffer une poêle à frire à fond épais à feu moyen jusqu'à ce qu'elle soit chaude. Y mettre les pignons et faire griller, en remuant fréquemment, jusqu'à ce qu'ils soient dorés. Les déposer dans un grand bol à mélanger.

3   Ajouter les fruits ramollis, la mélasse de grenade et le sirop d'agave dans le bol et bien mélanger. Ajouter les flocons de riz et bien mélanger avec une cuillère en bois. Répartir le mélange uniformément dans les 2 moules à pain et égaliser les surfaces avec le dos d'une cuillère. Parsemer les graines de chanvre par-dessus et presser fermement avec vos doigts.

4   Enfourner de 18 à 20 minutes jusqu'à ce qu'ils soient dorés et fermes. Retirer du four et laisser refroidir dans les moules 5 minutes. Couper chacun en 4 barres. Les sortir délicatement des moules et laisser refroidir complètement sur une grille avant de servir.

*Les amandes moulues rendent ces cupcakes délicieusement légers et moelleux.
Recouverts d'un riche et onctueux glaçage aromatisé à l'eau de rose, ils sont
véritablement exquis.*

Cupcakes aux framboises et à l'eau de rose

Donne **12 cupcakes**   Préparation **15 minutes**   Cuisson **25 minutes**

150 g/5½ oz de margarine sans produits
   laitiers, ramollie

125 g/4½ oz/¾ tasse de fructose ou de sucre
   semoule

3 œufs

75 g/2½ oz/⅓ tasse comble de farine de riz

5 ml/1 c. à thé de levure chimique sans gluten

2,5 ml/½ c. à thé rase de gomme xanthane

75 g/2½ oz/¾ tasse rase d'amandes moulues

100 g/3½ oz/1 tasse rase de framboises,
   légèrement écrasées, plus 12 pour décorer

GLAÇAGE À L'EAU DE ROSE :

25 g/1 oz de margarine sans produits laitiers

75 g/2½ oz/⅓ tasse de fromage à la crème de
   soja

5 ml/1 c. à thé d'eau de rose

85 g/3 oz/½ tasse de fructose ou de sucre
   semoule

1   Préchauffer le four à 180 °C/350 °F/gaz 4 et tapisser 12 alvéoles d'un moule à muffins de
    caissettes de papier. Pour faire le glaçage, mettre la margarine sans produits laitiers, le
    fromage à la crème de soja et l'eau de rose dans un bol à mélanger et battre, à l'aide d'un
    fouet ou d'un batteur électrique, jusqu'à ce que le glaçage soit léger et moelleux. Ajouter
    graduellement le sucre et battre jusqu'à la consistance légère et moelleuse. Couvrir et
    réfrigérer 30 minutes.

2   À l'aide d'un batteur électrique, battre la margarine sans produits laitiers et le sucre dans
    un grand bol à mélanger jusqu'à l'obtention d'une texture légère et moelleuse. Incorporer
    graduellement les œufs, un à la fois, jusqu'à ce que le tout soit bien mélangé.

3   Tamiser la farine de riz, la levure chimique sans gluten et la gomme xanthane par-dessus
    le mélange. Incorporer rapidement les amandes moulues à l'aide d'une cuillère et ajouter
    délicatement les framboises. Prendre soin de ne pas trop mélanger. Répartir le mélange
    dans les caissettes à cupcakes.

4   Enfourner de 18 à 20 minutes jusqu'à ce qu'ils soient dorés, bien gonflés et qu'un cure-
    dents inséré au centre en ressorte propre. Retirer du four et sortir du moule. Transférer
    sur une grille en métal et laisser complètement refroidir.

5   Étaler un peu de glaçage sur chacun des cupcakes, garnir d'une framboise et servir.

La muscade est naturellement sucrée et lorsqu'elle est combinée à l'extrait de vanille, elle crée une saveur riche et réconfortante pour la garniture légère et crémeuse de ces tartelettes.

Tartelettes portugaises à la crème

Donne **4 tartelettes**   Préparation **15 minutes, plus le temps de faire la pâte**   Cuisson **35 minutes**

margarine sans produits laitiers, pour graisser

farine de riz, pour abaisser la pâte

1 recette de Pâte brisée sucrée (p. 19), avec l'ajout de 2,5 ml/½ c. à thé de muscade

400 ml/14 oz liq/1⅔ tasse de lait de soja

22,5 ml/1½ c. à soupe de fécule de maïs

85 g/2¾ oz/½ tasse rase de fructose ou de sucre semoule

5 ml/1 c. à thé d'extrait de vanille

5 ml/1 c. à thé de muscade fraîchement râpée, plus pour garnir

4 gros jaunes d'œufs, battus

1   Préchauffer le four à 200 °C/400 °F/gaz 6 et graisser de margarine sans produits laitiers 4 moules à tartelette à fond amovible de 10 cm/4 po. Fariner abondamment un plan de travail avec la farine de riz et abaisser délicatement la pâte à une épaisseur d'environ 3 mm/⅛ po. Faire preuve de délicatesse, car la pâte sera un peu collante. À l'aide d'un emporte-pièce d'un diamètre légèrement plus grand que les moules à tartelette (pour avoir assez de pâtes pour les côtés), découper 4 cercles. Envelopper les retailles dans de la pellicule plastique et congeler, pour utilisation future.

2   Soulever les cercles de pâte et déposer dans chaque moule (une spatule en métal pourrait être nécessaire). Appuyer légèrement, pour enlever toute bulle d'air. Tailler les bords à l'aide d'un couteau tranchant et tapisser chaque moule de papier sulfurisé. Recouvrir de haricots secs et déposer sur une plaque à pâtisserie. Enfourner de 8 à 10 minutes jusqu'à ce que les croûtes soient très fermes et dorées. Retirer du four et baisser la température à 180 °C/350 °F/gaz 4.

3   Pendant ce temps, faire chauffer à feu doux le lait de soja juste avant le point d'ébullition dans une casserole à fond épais. Dans un petit bol, mettre la fécule de maïs et 15 ml/1 c. soupe d'eau. Remuer jusqu'à l'obtention d'une pâte lisse. Fouetter la pâte, le sucre, l'extrait de vanille et la muscade dans le lait chaud. Incorporer les jaunes d'œufs un peu à la fois jusqu'à l'obtention d'un mélange homogène. Cuire à feu doux, en remuant fréquemment, de 10 à 15 minutes jusqu'à ce que le mélange forme une crème épaisse. Prendre soin de ne pas surchauffer, car la crème pourrait tourner. Si cela survient, fouetter jusqu'à ce qu'elle redevienne lisse.

4   Retirer le papier sulfurisé et les haricots secs des croûtes à pâtisserie et remplir avec la crème anglaise à l'aide d'une petite louche. Saupoudrer un peu de muscade sur les tartelettes et enfourner 15 minutes ou jusqu'à ce que la crème soit prise. Retirer du four et laisser refroidir 5 minutes. Retirer des moules et servir chaud ou transférer sur une grille de métal. pour refroidir avant de servir. Réfrigérer les tartelettes restantes.

Le yogourt de soja a un goût acidulé délicieux et une texture lisse et crémeuse, lorsqu'il est mélangé. Ici, il rajoute une touche moelleuse et une épaisseur veloutée à la préparation à gâteau — en plus de faire un glaçage frais et léger.

Gâteau aux abricots, au yogourt et au miel

Donne **1 gâteau (10 à 12 tranches)**   Préparation **15 minutes**   Cuisson **50 minutes**

150 g/5½ oz de margarine sans produits laitiers, ramollie, plus pour graisser

125 g/4½ oz/¾ tasse de fructose ou de sucre semoule

2 œufs, battus

5 ml/1 c. à thé d'extrait de vanille

60 ml/4 c. à soupe de miel clair

250 g/9 oz/1 tasse comble de yogourt de soja nature

100 g/3½ oz/½ tasse comble de farine de riz

50 g/1¾ oz/½ tasse rase de farine de pois chiche

50 g/1¾ oz/⅓ tasse de farine de maïs

10 ml/2 c. à thé de levure chimique sans gluten

2,5 ml/½ c. à thé de gomme xanthane

150 g/3½ oz/1 tasse rase d'abricots séchés non soufrés, hachés finement

GARNITURE :

100 g/3½ oz/½ tasse de yogourt de soja nature

30 ml/2 c. à soupe de miel clair

1   Préchauffer le four à 180 °C/350 °F/gaz 4 et graisser légèrement de margarine sans produits laitiers un moule à gâteau profond de 20 cm/8 po. Tapisser le fond de papier sulfurisé. À l'aide d'un batteur électrique, battre la margarine sans produits laitiers et le sucre dans un grand bol à mélanger jusqu'à l'obtention d'une texture légère et moelleuse. Y incorporer les œufs graduellement en battant, un peu à la fois, jusqu'à ce que le tout soit bien mélangé. Incorporer l'extrait de vanille, le miel et le yogourt de soja.

2   Tamiser les farines, la levure chimique sans gluten et la gomme xanthane dans le mélange et incorporer les abricots hachés. Ne pas trop mélanger la pâte. Verser dans le moule.

3   Enfourner 30 minutes et recouvrir de papier sulfurisé, pour empêcher le gâteau de trop brunir. Poursuivre la cuisson de 15 à 20 minutes jusqu'à ce que le gâteau soit ferme et bien cuit.

4   Pendant ce temps, préparer la garniture. À l'aide d'un fouet ou d'un batteur électrique, fouetter le yogourt et le miel dans un bol jusqu'à la consistance lisse. Laisser au réfrigérateur jusqu'au moment de l'utiliser.

5   Retirer le gâteau du four et laisser refroidir 5 minutes. Démouler, transférer sur une grille de métal et laisser refroidir complètement. Une fois refroidi, étaler la garniture sur le gâteau et servir. Conserver tout gâteau restant dans le réfrigérateur.

Grâce aux amandes moulues, ce gâteau sort du four léger et moelleux. Ses saveurs sont délicates, et la crème d'amande et les amandes effilées font une garniture riche et croquante.

Gâteau aux amandes

Donne **1 gâteau (10 à 12 tranches)** Préparation **20 minutes, plus au moins 12 heures de trempage** Cuisson **35 minutes**

150 g/5½ oz de margarine sans produits laitiers, ramollie, plus pour graisser

75 g/2½ oz/⅓ tasse de fructose ou de sucre semoule

5 ml/1 c. à thé d'extrait d'amande

3 œufs, battus

175 g/6 oz/1⅔ tasse comble d'amandes moulues

5 ml/1 c. à thé de levure chimique sans gluten

2,5 ml/½ c. à thé rase de gomme xanthane

30 g/1 oz/⅓ tasse d'amandes effilées, pour décorer

CRÈME D'AMANDE :

100 g/3½ oz/⅔ tasse d'amandes mondées

30 ml/2 c. à soupe de fructose ou de sucre semoule

1 ml/¼ c. à thé d'extrait d'amande

10 ml/2 c. à thé de flocons d'agar-agar

1 Pour faire la crème d'amande, mettre les amandes mondées dans un bol, recouvrir d'eau et laisser tremper toute la nuit ou au moins 12 heures. Égoutter, bien rincer et mettre dans un mélangeur. Ajouter 150 ml/5 oz liq/⅔ tasse d'eau et mélanger 10 minutes jusqu'à la consistance lisse. Verser le mélange dans une casserole et ajouter le sucre, l'extrait d'amande et les flocons d'agar-agar. Faire chauffer à feu doux 3 à 4 minutes jusqu'à ce que le sucre et les flocons d'agar-agar soient complètement dissous, en remuant sans arrêt, pour s'assurer que le mélange ne brûle pas. Transférer dans un bol à l'épreuve de la chaleur, laisser refroidir, couvrir et réfrigérer jusqu'au moment d'utilisation.

2 Préchauffer le four à 180 °C/350 °F/gaz 4 et graisser légèrement de margarine un moule à gâteau de 20 cm/8 po. Tapisser le fond de papier sulfurisé. À l'aide d'un batteur électrique, battre la margarine et le sucre dans un grand bol à mélanger jusqu'à l'obtention d'une texture légère et moelleuse. Y incorporer l'extrait d'amande et incorporer les œufs, un peu à la fois, jusqu'à ce que le tout soit bien mélangé. Ajouter les amandes moulues, la levure chimique sans gluten et la gomme xanthane au mélange et incorporer rapidement à l'aide d'une cuillère. Bien mélanger, mais sans trop insister, et verser dans le moule.

3 Enfourner de 20 à 25 minutes jusqu'à ce que le gâteau soit doré, bien gonflé et qu'un cure-dents inséré au centre en ressorte propre. Retirer du four et laisser refroidir 5 minutes. Démouler, transférer sur une grille de métal et laisser refroidir complètement.

4 Étaler la crème d'amande sur le gâteau, parsemer des amandes effilées et servir. Conserver tout gâteau restant au réfrigérateur.

Pour ce gâteau, j'ai utilisé de la farine de quinoa et un mélange de farine de riz et d'amandes moulues. Les amandes et les fruits séchés adoucissent le goût caractéristique de noix du quinoa, tout en le rendant plus riche.

Gâteau aux fruits

Donne **1 gâteau (12 à 14 tranches)**   Préparation **20 minutes**   Cuisson **1 heure 25 minutes**

225 g/8 oz de margarine sans produits laitiers, plus pour graisser

200 g/7 oz/1⅔ tasse rase de raisins secs

200 g/7 oz/1⅔ tasse rase de raisins sultanas

250 g/9 oz/2 tasses rase d'abricots séchés non soufrés, hachés

40 g/1½ oz/¼ tasse rase de cerises acides séchées

50 g/1¾ oz/⅓ tasse de canneberges séchées

30 g/1 oz de baies de goji séchées

125 g/4½ oz/1 tasse rase de noisettes mondées

100 g/3½ oz/½ tasse comble de farine de riz

100 g/3½ oz/⅔ tasse de farine de quinoa

1 ml/¼ c. à thé de sel

10 ml/2 c. à thé de cannelle

7,5 ml/1½ c. à thé de levure chimique sans gluten

2,5 ml/½ c. à thé comble de gomme xanthane

100 g/3½ oz/1 tasse d'amandes moulues

200 g/7 oz/1 tasse comble de fructose ou de sucre semoule

4 gros œufs, battus

1   Préchauffer le four à 180 °C/350 °F/gaz 4 et graisser légèrement de margarine un moule à gâteau à fond amovible de 23 cm/9 po. Mettre les raisins secs, les raisins sultanas, les abricots, les cerises, les canneberges, les baies de goji et 1 l/35 oz liq/4 tasses d'eau dans une casserole. Amener à ébullition à feu vif. Baisser le feu à « moyen » et laisser mijoter de 30 à 40 minutes jusqu'à ce que tous les fruits soient tendres et que l'eau ait été absorbée.

2   Mettre les noisettes dans un petit robot culinaire et actionner par pulsion, pour hacher.

3   Tamiser les farines, le sel, la cannelle, la levure chimique sans gluten et la gomme xanthane dans un grand bol à mélanger. Ajouter les amandes moulues et bien mélanger.

4   À l'aide d'un batteur électrique, battre la margarine sans produits laitiers et le sucre dans un grand bol à mélanger jusqu'à l'obtention d'une texture légère et moelleuse. Incorporer graduellement les œufs, un à la fois, jusqu'à ce que le tout soit bien mélangé. Incorporer les fruits ramollis et les noisettes hachées à l'aide d'une cuillère. Incorporer rapidement le mélange de farine. Ne pas trop mélanger. Verser le mélange dans le moule et lisser la surface avec le dos d'une cuillère en métal.

5   Enfourner 30 minutes et couvrir de papier sulfurisé en rentrant les bouts sous le moule. Poursuivre la cuisson 10 à 15 minutes jusqu'à ce que le gâteau soit bien cuit. Le gâteau semblera très collant en sortant du four, mais il se raffermira en refroidissant. Laisser refroidir dans le moule 5 minutes. Démouler et transférer sur une grille de métal. Laisser refroidir complètement avant de servir.

La source d'inspiration pour ce gâteau divin est un gâteau d'anniversaire que ma sœur avait fait pour son mari. Il est léger et moelleux avec des arômes de chocolat noir truffé et un glaçage riche et crémeux recouvert de framboises acidulées.

Gâteau d'anniversaire au chocolat

Donne **1 gâteau (14 à 16 tranches)**   Préparation **25 minutes, plus pour la crème aux noix**
Cuisson **45 minutes**

150 g/5½ oz de margarine sans produits laitiers, ramollie, plus pour graisser

200 g/7 oz de chocolat noir sans produits laitiers à 70 % de solides de cacao, haché ou brisé en morceaux

175 g/6 oz/1 tasse rase de fructose ou de sucre semoule

5 ml/1 c. à thé d'extrait de vanille

4 gros œufs

60 g/2¼ oz/¼ tasse rase de farine de riz

60 g/2¼ oz/⅓ tasse de farine de châtaignes

10 ml/2 c. à thé de levure chimique sans gluten

2,5 ml/½ c. à thé de gomme xanthane

150 g/5½ oz/1¼ oz de framboises ou de fraises, équeutées, pour décorer

GLAÇAGE :

200 g/7 oz de chocolat noir sans produits laitiers à 70 % de solides de cacao, haché ou brisé en morceaux

1 recette de Crème de noix de cajou (p. 13), y rajouter 5 ml/1 c. à thé d'extrait de vanille et 8 dattes, lors de l'étape du mélange

1   Préchauffer le four à 180 °C/350 °F/gaz 4 et graisser légèrement de margarine sans produits laitiers 2 moules à gâteau à fond amovible de 23 cm/9 po. Mettre le chocolat au bain-marie. Faire chauffer, en remuant de temps en temps, jusqu'à ce que le chocolat ait fondu.

2   Au batteur électrique, battre la margarine et le sucre dans un grand bol à mélanger jusqu'à l'obtention d'une texture légère et moelleuse. Incorporer l'extrait de vanille et les œufs, un à la fois. Tamiser les farines, la levure chimique sans gluten et la gomme xanthane dans le mélange et incorporer à l'aide d'une cuillère. Ne pas trop mélanger. Répartir le mélange uniformément dans les moules à gâteau et lisser la surface avec le dos d'une cuillère.

3   Enfourner de 35 à 40 minutes jusqu'à ce que le gâteau soit ferme au toucher et qu'un cure-dents inséré au centre en ressorte propre. Retirer du four et laisser refroidir dans les moules 5 minutes. Démouler sur une grille de métal et laisser refroidir complètement.

4   Pendant ce temps, mettre le chocolat pour le glaçage au bain-marie pour le faire fondre. Mettre le mélange de crème de noix et les dattes dans un robot culinaire ou dans un mélangeur, ajouter le chocolat fondu et bien mélanger.

5   Mettre un gâteau sur une assiette et étaler la moitié du glaçage sur le dessus. Déposer l'autre gâteau par-dessus, côté plat vers le bas, et étaler le reste du glaçage par-dessus. Décorer de framboises et servir.

Je considère cette recette comme mon hommage à Dorset, la ville où j'ai grandi. Les saveurs douces et la texture tendre des pommes se marient à merveille avec la base ferme du gâteau.

Gâteau aux pommes

Donne **1 gâteau (10 à 12 tranches)**   Préparation **20 minutes**   Cuisson **50 minutes**

155 g/5½ oz de margarine sans produits laitiers, ramollie, plus pour graisser

4 pommes, pelées, évidées et coupées en gros morceaux

60 ml/4 c. à soupe de sirop d'agave

125 g/4½ oz/¾ tasse de fructose ou de sucre semoule

5 ml/1 c. à thé d'extrait de vanille

3 gros œufs

100 g/3½ oz/½ tasse comble de farine de riz

50 g/1¾ oz/½ tasse rase de farine de pois chiche

5 ml/1 c. à thé de levure chimique sans gluten

2,5 ml/½ c. à thé de gomme xanthane

50 g/1¾ oz/½ tasse rase d'amandes moulues

1   Préchauffer le four à 180 °C/350 °F/gaz 4. Graisser légèrement de margarine sans produits laitiers un moule à gâteau profond de 20 cm/8 po et tapisser le fond de papier sulfurisé. Faire chauffer à feu doux 15 g/½ oz de la margarine sans produits laitiers dans une casserole à fond épais. Ajouter les pommes et cuire 5 minutes jusqu'à ce qu'elles commencent à dorer. Remuer de temps en temps, pour qu'elles ne brûlent pas. Ajouter le sirop d'agave et poursuivre la cuisson 5 minutes jusqu'à ce que les pommes soient tendres, en brassant la casserole de temps en temps. Réserver.

2   Pendant ce temps, à l'aide d'un batteur électrique, battre le sucre et le reste de la margarine dans un grand bol à mélanger jusqu'à l'obtention d'une texture légère et moelleuse. Ajouter l'extrait de vanille et incorporer graduellement les œufs, un à la fois, jusqu'à ce que le tout soit bien mélangé.

3   Tamiser les farines, la levure chimique sans gluten et la gomme xanthane dans le mélange. Ajouter les amandes moulues et bien mélanger à l'aide d'une cuillère. Ne pas trop mélanger. Verser le mélange dans le moule et lisser la surface à l'aide d'un couteau propre. Disposer les pommes sur le dessus (utiliser le dos d'une cuillère pour bien les répartir, au besoin) et verser uniformément le sirop dans la casserole par-dessus. Enfourner 40 minutes jusqu'à ce que le gâteau soit ferme au toucher et complètement cuit.

4   Retirer du four et laisser refroidir 5 minutes. Démouler et transférer sur une grille de métal. Laisser refroidir complètement avant de servir.

Gâteries du four

Contrairement à la plupart des farines sans gluten, la farine de châtaigne comporte de très bonnes propriétés de liaison, ce qui en fait un très bon choix pour la pâtisserie. Son goût particulier peut parfois enterrer les autres, mais les raisins sultanas et secs dans cette recette le complètent très bien.

Miche aux fruits

Donne 1 miche (environ 16 tranches) Préparation **20 minutes, plus 30 minutes de levée**
Cuisson **1 heure 10 minutes**

100 g/3½ oz/¾ tasse comble de raisins
   sultanas

100 g/3½ oz/¾ tasse comble de raisins secs

120 g/4¼ oz/⅔ tasse de farine de pomme de
   terre

100 g/3½ oz/½ tasse comble de farine de riz

150 g/5½ oz/¾ tasse comble de farine de
   châtaigne

2,5 ml/½ c. à thé de sel de mer, broyé

30 ml/2 c. à soupe de fructose ou de sucre
   semoule

5 ml/1 c. à thé de levure chimique sans gluten

5 ml/1 c. à thé de gomme xanthane

15 ml/1 c. à soupe de levure sèche active

50 g/1¾ oz de margarine sans produits laitiers,
   coupée en cubes, plus pour graisser

1   Mettre les raisins sultanas, les raisins secs et 250 ml/9 oz liq/1 tasse d'eau dans une casserole. Amener à ébullition à feu vif. Baisser le feu à « moyen » et laisser mijoter de 15 à 20 minutes jusqu'à ce que les fruits soient tendres et que l'eau ait été absorbée.

2   Tamiser les farines, le sel, le sucre, la levure chimique sans gluten, la gomme xanthane et la levure dans un robot culinaire doté de l'accessoire à pâte et mélanger. Ajouter la margarine sans produits laitiers et mélanger à nouveau. Ajouter 400 ml/14 oz liq/1⅔ tasse d'eau tiède et mélanger 10 minutes, pour aérer la pâte. Ajouter les raisins sultanas et les raisins secs ramollis et bien mélanger. Transférer la pâte dans un bol, recouvrir de pellicule plastique et laisser lever 30 minutes.

3   Préchauffer le four à 200 °C/400 °F/gaz 6 et graisser légèrement un moule à pain de 450 g/1 lb avec la margarine sans produits laitiers. Déposer la pâte dans le moule à l'aide d'une cuillère et lisser la surface avec le dos d'une cuillère.

4   Enfourner 20 minutes. Badigeonner la pâte avec de l'eau et recouvrir de papier sulfurisé. Bien rentrer les rebords sous le moule. Poursuivre la cuisson 20 minutes, badigeonner d'eau encore et recouvrir. Poursuivre la cuisson de 5 à 10 minutes jusqu'à ce que la miche soit bien cuite. Démouler la miche sur une grille en métal et laisser refroidir au moins 10 minutes avant de servir.

Débordant de bêta-carotène, la courge musquée procure une belle texture moelleuse à ces scones. Ils sont délicieux accompagnés de confiture, de gelée de fruits ou même d'une tartinade salée.

Scones à la courge musquée

Donne **6 scones**   Préparation **25 minutes**   Cuisson **40 minutes**

100 g/3½ oz de courge musquée, pelée, épépinée et coupée en gros morceaux

50 g/1¾ oz de margarine sans produits laitiers, plus pour graisser et pour accompagner

85 g/3 oz/½ tasse rase de farine de riz, plus pour fariner

35 g/1¼ oz/¼ tasse de farine de maïs

35 g/1¼ oz/⅓ tasse de farine de pois chiche

2,5 ml/½ c. à thé de gomme xanthane

5 ml/1 c. à thé de levure chimique sans gluten

une pincée de sel

30 ml/2 c. à soupe de fructose ou de sucre semoule

15 ml/1 c. à soupe de lait de soja non sucré

confiture, gelée de fruits ou tartinade salée, pour accompagner

1   Mettre la courge dans un cuiseur à vapeur et cuire à feu mi-vif 15 minutes jusqu'à ce qu'elle soit tendre.

2   Préchauffer le four à 180 °C/350 °F/gaz 4 et graisser une plaque à pâtisserie de margarine sans produits laitiers. Tamiser les farines, la gomme xanthane, la levure chimique sans gluten, le sel et le sucre dans un robot culinaire doté de l'accessoire à pâte et mélanger. Ajouter la margarine sans produits laitiers et mélanger 2 minutes. Ajouter le lait de soja et 75 g/2½ oz de courge cuite. Mélanger 10 minutes. La pâte sera très collante.

3   Fariner généreusement une planche à découper de farine de riz. Déposer la pâte sur la planche et rouler délicatement dans la farine jusqu'à ce qu'elle puisse être manipulée. Avec la paume de la main, presser uniformément la pâte à une épaisseur d'environ 2 cm/¾ po. À l'aide d'un emporte-pièce rond de 6 cm/2½ po, découper les scones. Retravailler la pâte, au besoin.

4   Mettre les scones sur la plaque à pâtisserie et enfourner 20 à 25 minutes jusqu'à ce qu'ils soient bien dorés. Servir tièdes accompagnés de margarine sans produits laitiers et de confiture, ou démouler sur une grille en métal et laisser refroidir avant de servir.

Dîners

Lorsque je mets ma fille Zoë au lit le soir, il est généralement assez tard. Par conséquent, je veux des recettes que je peux assembler avec un minimum d'efforts — qu'il s'agisse d'un repas pour moi seule ou avec plusieurs personnes. Vous trouverez ici un Agneau en croûte d'herbes et d'olives que vous pouvez assembler en un rien de temps, ou des recettes que vous pouvez préparer d'avance et conserver au réfrigérateur ou au congélateur jusqu'au moment d'en avoir besoin, comme le Tajine aux légumes, la pâte pour le Cari aux crevettes et à la courge musquée ou la sauce pour la Lasagne. Vous trouverez aussi des plats spectaculaires qui sont beaucoup plus faciles à réaliser qu'ils en ont l'air, comme la Tarte aux oignons rôtis et au thym citronnelle ou le Canard aux prunes.

Saumon en croûte, page 138 >

Ce plat est excellent pour les dîners de fin de semaine ou même pour le déjeuner du dimanche — et sa farce pourrait aussi servir avec de la dinde pour un repas de Noël sans gluten ni produits laitiers.

Poulet farci aux abricots et au thym

Donne **4 portions**   Préparation **30 minutes, plus le temps de faire le bouillon**
Cuisson **2 heures 5 minutes**

125 g/4½ oz/⅔ tasse d'abricots séchés non soufrés, hachés

½ oignon, haché

1 gousse d'ail, écrasée

200 g/7 oz/1½ tasse de flocons de riz

50 g/1¾ oz de margarine sans produits laitiers, coupée en dés, plus pour graisser

5 ml/1 c. à thé de feuilles de thym hachées, plus quelques brins de thym pour garnir

1 poulet de 1,8 kg/4 lb

15 ml/1 c. à soupe d'huile d'olive

250 ml/9 oz liq/1 tasse de Bouillon de poulet (p. 20) ou de bouillon de poulet fait de poudre sans gluten et sans produits laitiers

250 ml/9 oz liq/1 tasse de vin blanc sec

15 ml/1 c. à soupe de fécule de maïs

sel de mer et poivre noir fraîchement moulu

1   Mettre les abricots séchés et 300 ml/10½ oz liq/1¼ tasse d'eau dans une casserole et amener à ébullition à feu vif. Baisser le feu à « moyen » et laisser mijoter 15 à 20 minutes jusqu'à ce que les fruits soient tendres et que l'eau ait été absorbée. Transférer dans un bol et incorporer l'oignon, l'ail, les flocons de riz, la margarine sans produits laitiers et le thym. Saler et poivrer.

2   Préchauffer le four à 180 °C/350 °F/gaz 4. Farcir le poulet et enfiler un cure-dents ou une petite brochette dans la peau pour empêcher la farce de sortir. Le déposer dans un grand plat de cuisson. Frotter l'huile sur le poulet, saler et poivrer légèrement et ajouter le bouillon et le vin. Couvrir de papier sulfurisé en s'assurant que les bords du papier sont rentrés sous le plat. Enfourner 1 heure, retirer du four et réserver le papier sulfurisé.

3   Graisser un petit plat de cuisson de margarine sans produits laitiers, y mettre la farce restante et recouvrir du papier sulfurisé. Mettre le poulet et la farce dans le four et pour-suivre la cuisson 40 minutes ou jusqu'à ce que le jus soit clair lorsqu'on pique le poulet dans la partie la plus charnue de la cuisse. Si le jus est moindrement rose, poursuivre la cuisson un peu de temps. Retirer les 2 plats du four et couvrir le poulet de papier sulfurisé à nouveau, en rentrant les bords sous le plat. Laisser reposer à température ambiante de 10 à 15 minutes.

4   Pendant ce temps, verser le jus de cuisson dans une petite casserole et amener à ébullition à feu vif. Mettre la fécule de maïs et 15 ml/1 c. à soupe d'eau dans un petit bol et remuer jusqu'à la consistance lisse. Incorporer au jus de cuisson. Laisser mijoter, en remuant de temps en temps, 2 à 3 minutes jusqu'à l'épaississement. Saler et poivrer. Servir le poulet et la farce accompagnés de la sauce et des brins de thym.

Nourrissant, réchauffant et bon pour la santé — il n'y a rien de mieux qu'un bon pâté. J'ai utilisé de l'estragon pour ajouter une petite touche d'anis au poulet et aux poireaux.

Pâté au poulet et à l'estragon

Donne **4 portions**   Préparation **15 minutes, plus le temps de faire le poulet, la sauce et la pâte**
Cuisson **55 minutes**

30 ml/2 c. à soupe d'huile d'olive

1 oignon, haché

1 poireau, haché

1 poulet rôti non farci de 1,8 kg/4 lb (p. 106),
  coupé en bouchées, jus réservé

une poignée de feuilles d'estragon, hachées

1 recette de Sauce blanche (p. 12), substituer
  par les jus du poulet une partie du bouillon

farine de riz, pour fariner

1 recette de Pâte brisée (p. 19)

sel de mer et poivre noir fraîchement moulu

1   Préchauffer le four à 200 °C/400 °F/gaz 6. Faire chauffer l'huile dans une grande casserole à fond épais à feu moyen. Ajouter l'oignon et cuire, en remuant de temps en temps, de 2 à 3 minutes jusqu'à ce qu'il commence à dorer. Ajouter le poireau et poursuivre la cuisson de 3 à 4 minutes jusqu'à ce qu'il soit tendre.

2   Transférer dans une casserole allant au four de 2 l/70 oz liq/8 tasses et incorporer le poulet et l'estragon. Faire chauffer la sauce blanche et l'incorporer au mélange. Saler et poivrer légèrement.

3   Fariner généreusement une planche à découper avec la farine de riz et abaisser la pâte en un cercle d'environ 3 mm/⅛ po d'épaisseur et d'un diamètre de 3 cm/1¼ po de plus que la casserole. Faire preuve de prudence, car la pâte sera encore un peu collante. Déposer la pâte sur la casserole et recouvrir la garniture. Si la pâte semble trop fragile pour être soulevée, retourner la planche à découper pour laisser la pâte sur la casserole. Pincer délicatement les bords de la pâte et tailler le bord à l'aide d'un couteau tranchant. Découper un petit « X » dans le centre, pour permettre à la vapeur de s'échapper.

4   Enfourner 40 à 45 minutes jusqu'à ce que la pâte soit d'un riche brun doré et servir saupoudré de poivre noir, au goût.

J'adore la crème de noix de cajou! Elle ajoute de la consistance et une qualité crémeuse à ce cari, et atténue la chaleur directe des épices et des piments forts.

Tikka Masala au poulet

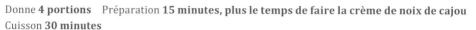

Donne **4 portions**   Préparation **15 minutes**, plus le temps de faire la crème de noix de cajou
Cuisson **30 minutes**

30 ml/2 c. à soupe d'huile d'olive

4 poitrines de poulet sans peau et désossées,
   coupées en bouchées

125 ml/4 oz liq/½ tasse de passata

½ recette de Crème de noix de cajou (p. 13)

une poignée de feuilles de coriandre, hachées

noix de cajou, hachés, pour garnir

½ piment fort rouge, épépiné et haché
   finement, pour garnir

PÂTE MASALA :

2 piments forts rouges, épépinés

3 gousses d'ail

1 morceau de 2,5 cm/1 po de racine de
   gingembre, pelé

1 oignon, coupé en quartiers

jus de ½ citron

5 ml/1 c. à thé de cumin moulu

5 ml/1 c. à thé de coriandre moulue

5 ml/1 c. à thé de curcuma

10 ml/2 c. à thé de garam masala

2,5 ml/½ c. à thé de poudre de chili

5 ml/1 c. à thé de miel clair

50 g/1¾ oz de margarine sans produits laitiers

une petite poignée de feuilles et de tiges de
   coriandre, hachées grossièrement

15 ml/1 c. à soupe de pâte de tomates

30 ml/2 c. à soupe d'huile d'olive

Dîners

1 Mettre tous les ingrédients de la pâte masala dans un mélangeur ou dans un robot culinaire et mélanger jusqu'à la formation d'une pâte lisse.

2 Faire chauffer l'huile dans une grande casserole à fond épais à feu moyen. Ajouter le poulet et cuire, en remuant de temps en temps, jusqu'à ce qu'il soit légèrement doré. Incorporer la pâte masala et la passata et augmenter le feu à « mi-vif ». Lorsque le mélange commence à bouillonner, baisser le feu à « moyen-doux » et laisser mijoter, couvert, en remuant de temps en temps, de 15 à 20 minutes jusqu'à ce que le poulet soit bien cuit.

3 Incorporer la crème de noix de cajou et laisser mijoter, en remuant fréquemment, de 3 à 4 minutes jusqu'à ce qu'elle soit réchauffée. Ajouter un peu d'eau, si le mélange devient trop sec. Parsemer de feuilles de coriandre, de noix de cajou et d'autres piments forts et servir.

La pâte d'umeboshi est faite de fruits ume (un genre de prune japonaise) marinés. Ils ont été surnommés les rois des aliments alcalins et ils aident l'organisme à bien digérer les aliments et à absorber entièrement les nutriments.

Canard aux prunes

Donne **4 portions**   Préparation **10 minutes, plus au moins 2 heures de marinage**
Cuisson **2 heures 50 minutes**

4 cuisses de canard

8 échalotes

16 prunes, coupées en 2 et dénoyautées

3 poivrons rouges, orange ou jaunes, épépinés et coupés en quartiers

sel de mer et poivre noir fraîchement moulu

MARINADE :

30 ml/2 c. à soupe d'huile d'olive

60 ml/4 c. à soupe de sauce tamari

15 ml/1 c. à soupe de pâte d'umeboshi

60 ml/4 c. à soupe de miel clair

3 anis étoilés

1 bâtonnet de cannelle

1   Déposer les cuisses de canard, peau vers le bas, dans un plat à casserole juste assez grand pour les contenir. Fouetter tous les ingrédients de la marinade et verser sur le canard. Couvrir et laisser mariner au réfrigérateur au moins 2 heures, mais de préférence toute la nuit.

2   Préchauffer le four à 160 °C/315 °F/gaz 2-3. Retirer le canard du réfrigérateur et soulever les cuisses pour placer les échalotes, les prunes et les poivrons dans le fond du plat. Retourner les cuisses de canard, côté chair vers le haut, et saler et poivrer légèrement. Enfourner, couvert, 2 heures et 15 minutes jusqu'à ce que la viande soit tendre.

3   Retirer du four et transférer les cuisses de canard dans une assiette. Verser presque tout le jus du plat dans une casserole. Jeter l'anis étoilé et le bâtonnet de cannelle. Amener à ébullition à feu vif. Baisser le feu à « mi-vif » et laisser mijoter de 15 à 20 minutes jusqu'à ce que le jus ait réduit de moitié. Pendant ce temps, remettre le canard dans le plat à casserole et poursuivre la cuisson, à découvert, 15 minutes de plus. Retirer du four et servir accompagné de sauce.

Cette version sans gluten de la recette traditionnelle à cuisson lente comporte du chorizo et de la pancetta, au lieu de saucisses, ce qui lui donne une couche supplémentaire de saveur riche.

Cassoulet au porc et au canard

Donne **4 portions**   Préparation **10 minutes, plus 12 heures de trempage (facultatif) et le temps de faire le bouillon**   Cuisson **4 heures 45 minutes**

200 g/7 oz/1 tasse de haricots secs ou
    300 g/10½ oz/1½ oz de haricots en boîte,
    rincés
2 cuisses de canard
15 ml/1 c. à soupe d'huile d'olive
150 g/5½ oz de pancetta
450 g/1 lb de filet de porc, coupé en gros cubes
30 ml/2 c. à soupe de gras d'oie
1 oignon, haché finement
4 gousses d'ail, écrasées

1 carotte, coupée en dés
2 feuilles de laurier
15 ml/1 c. à soupe comble de feuilles de thym
2 poignées de feuilles de persil italien, hachées
650 ml/22½ oz liq/2⅔ tasses de Bouillon de
    légumes (p. 21) ou de bouillon de légumes
    fait de poudre sans gluten et sans produits
    laitiers
225 g/8 oz de chorizo, peau retirée, haché

1   Si des haricots secs sont utilisés, les mettre dans un bol et les recouvrir d'eau froide. Laisser tremper toute la nuit ou au moins 12 heures. Égoutter et bien rincer. Transférer dans une grande casserole, couvrir d'eau fraîche et amener à ébullition à feu vif. Bouillir à gros bouillons 10 minutes et baisser le feu à « moyen-doux ». Mettre un couvercle et laisser mijoter 1 heure jusqu'à ce qu'ils soient tendres. Bien égoutter.

2   Préchauffer le four à 200 °C/400 °F/gaz 6. Mettre les cuisses de canard dans une petite rôtissoire et enfourner 30 minutes. Retirer du four et baisser la température à 140 °C/275 °F/gaz 1.

3   Faire chauffer l'huile dans une grande casserole à fond épais à feu moyen. Ajouter la pancetta et frire, en remuant quelquefois, de 3 à 4 minutes jusqu'à ce qu'elle soit croustillante. Retirer avec une cuillère trouée et réserver. Ajouter le porc à la casserole et cuire, en remuant quelquefois, 5 minutes jusqu'à ce qu'il soit doré. Retirer avec une cuillère trouée et réserver avec la pancetta.

4   Faire fondre le gras d'oie dans la casserole et ajouter l'oignon. Cuire, en remuant de temps en temps, de 2 à 3 minutes jusqu'à ce qu'il commence à dorer. Incorporer l'ail et poursuivre la cuisson 30 secondes. Ajouter la carotte et les herbes et cuire 2 minutes de plus. Ajouter le bouillon et amener à ébullition à feu vif. Baisser le feu à « moyen » et laisser mijoter 2 minutes.

5   Retirer la peau du canard et le mettre dans un plat à casserole à l'épreuve de la chaleur. Ajouter la pancetta, le porc, le chorizo et les haricots. Ajouter le mélange de bouillon, bien mélanger et cuire, à découvert, 3 heures. Retirer les os après 2 heures, remuer et poursuivre la cuisson 1 heure de plus. Retirer les feuilles de laurier et servir.

*La crème de soja a un goût assez particulier, mais les saveurs du porc,
des pommes, du citron et du vin s'y marient avec merveille, pour créer un
plat délicieux.*

Porc et pommes en sauce crémeuse

Donne **4 portions**   Préparation **15 minutes**   Cuisson **20 minutes**

50 g/1¾ oz de margarine sans produits laitiers

750 g/1 lb/10 oz de filet de porc, gras paré et
    coupé en bouchées

3 pommes

jus de ½ citron

1 oignon, haché finement

1 gousse d'ail, écrasée

100 ml/3½ oz/½ tasse de vin blanc

125 ml/4 oz liq/½ tasse de crème de soja

sel de mer et poivre noir fraîchement moulu

1   Faire chauffer la margarine sans produits laitiers dans une grande casserole à fond épais à feu moyen. Ajouter le porc et cuire, en remuant fréquemment, de 5 à 6 minutes jusqu'à ce qu'il soit bien doré sur toutes les faces. Retirer de la casserole à l'aide d'une cuillère trouée et réserver.

2   Peler les pommes, les couper en quartiers et les évider. Trancher chaque quartier en 3 tranches et tremper dans le jus de citron.

3   Mettre l'oignon dans la casserole et frire à feu doux, en remuant de temps en temps, 2 minutes jusqu'à ce qu'il commence à dorer. Incorporer l'ail, ajouter les tranches de pommes et poursuivre la cuisson 2 à 3 minutes, en remuant de temps en temps, jusqu'à ce le tout soit doré. Remettre le porc dans la casserole et ajouter le vin. Amener à ébullition à feu vif, baisser le feu et laisser mijoter 5 minutes. Incorporer la crème de soja, saler et poivrer légèrement et poursuivre la cuisson de 2 à 3 minutes. Servir chaud.

L'amarante est un merveilleux substitut sans gluten au couscous. Elle a une teneur élevée en fer, en calcium et en protéine, et renferme des phytonutriments qui rehaussent le système immunitaire.

Galettes d'agneau avec amarante à la grenade

Donne **4 portions**   Préparation **20 minutes**   Cuisson **40 minutes**

300 g /10½ oz/1¼ tasse rase d'amarante

2 grenades

800 g /1 lb/12 oz d'agneau, haché

1 oignon rouge, haché finement

2 gousses d'ail, écrasées

2,5 ml/½ c. à thé de piment rouge broyé

15 ml/1 c. à soupe de mélasse de grenade

2 grosses poignées de feuilles de persil italien,
   hachées

75 ml/5 c. à soupe d'huile d'olive

100 g/3½ oz/⅔ tasse de pistaches, hachées
   grossièrement

une poignée de feuilles de menthe

jus de 2 citrons

sel de mer

1   Mettre l'amarante et 750 ml/26 oz liq/3 tasses d'eau froide dans une casserole et amener à ébullition à feu vif. Baisser le feu à « moyen » et laisser mijoter, avec un couvercle, de 15 à 20 minutes jusqu'à ce que l'amarante soit tendre et que l'eau ait été absorbée. Ajouter un peu d'eau, au besoin, pendant la cuisson. Réserver.

2   Couper les grenades en 2 et réserver 3 des moitiés. Tenir une des moitiés au-dessus d'un bol et frapper la peau extérieure avec une cuillère en bois jusqu'à ce que tous les arilles tombent dans le bol. Il faut frapper la peau plusieurs fois avant que les arilles commencent à tomber, mais ils tomberont. Mettre l'agneau haché, l'oignon, l'ail, le piment broyé, la mélasse de grenade et une petite poignée du persil dans le bol. Saler et bien mélanger. Avec vos mains, diviser le mélange en 8 morceaux égaux et former chacun en galette.

3   Faire chauffer à feu moyen 15 ml/1 c. à soupe d'huile dans une grande poêle à frire à fond épais. Ajouter la moitié des galettes et cuire environ 5 minutes par côté ou jusqu'à ce qu'ils soient cuits à votre goût. Retirer de la poêle, réserver et répéter avec les galettes restantes et 15 ml/1 c. à soupe de l'huile.

4   Frapper la peau extérieure des autres moitiés de grenade sur un autre grand bol. Ajouter les pistaches, les feuilles de menthe, le jus de citron, l'amarante et l'huile restante dans le bol. Bien mélanger et servir avec les galettes.

J'ai inclus des anchois à cette recette pour ajouter de la saveur, mais elles sont aussi une très bonne source de vitamines et de minéraux — mais encore plus important : d'oméga-3.

Agneau en croûte d'herbes et d'olives

Donne **4 portions**   Préparation **25 minutes**   Cuisson **30 minutes**

30 g/1 oz/¼ tasse rase de câpres dans le sel ou
  dans la saumure

2 carrés d'agneau de 8 côtelettes, parés

45 ml/3 c. à soupe d'huile d'olive

30 g/1 oz d'anchois dans l'huile, égouttés

100 g/3½ oz/½ tasse comble d'olives noires
  dans la saumure, égouttées

2 gousses d'ail

15 ml/1 c. à soupe de pâte de tomates

une poignée de feuilles de persil, hachées
  grossièrement

une petite poignée de feuilles de basilic

30 ml/2 c. à soupe comble d'amarante

1 Préchauffer le four à 200 °C/400 °F/gaz 6. Rincer les câpres et faire tremper dans un bol
   d'eau 10 minutes. Égoutter et bien rincer. Si les câpres étaient en saumure, simplement
   rincer et égoutter.

2 Pendant ce temps, tailler la couche de gras sur chaque carré d'agneau. Faire chauffer
   15 ml/1 c. à soupe de l'huile dans une poêle à frire à fond épais à feu mi-vif. Ajouter
   l'agneau et saisir 2 minutes par côté jusqu'à ce qu'il soit doré sur toutes les surfaces. Transférer dans une rôtissoire, côté gras vers le haut.

3 Mettre les câpres, les anchois, les olives, l'ail, la pâte de tomates, le persil, le basilic et
   l'amarante dans un robot culinaire et mélanger jusqu'à l'obtention d'une pâte finement
   hachée. Avec le moteur en marche, ajouter le reste de l'huile et mélanger jusqu'à ce que le
   tout soit bien combiné. Déposer le mélange sur le gras à l'aide d'une cuillère, en pressant
   bien avec le dos de la cuillère.

4 Enfourner de 20 à 25 minutes selon le degré de cuisson désiré. Retirer du four et recouvrir
   de papier sulfurisé. S'assurer que les bords du papier sont bien rentrés sous la rôtissoire.
   Laisser reposer 5 minutes, retirer le papier sulfurisé et servir.

Dîners

Au lieu d'une croûte aux herbes cuites, les biftecks de cette recette sont enrobés d'herbes fraîches. Leurs saveurs relevées rehaussent ce plat et se mêlent merveilleusement à la sauce aux champignons.

Bifteck roulé aux herbes avec sauce aux champignons

Donne **4 portions**   Préparation **35 minutes**   Cuisson **20 minutes**

une poignée de feuilles de menthe, hachées
  finement

une poignée de feuilles de coriandre, hachées
  finement

une grande poignée de feuilles de persil italien,
  hachées finement

15 ml/1 c. à soupe d'huile d'olive

4 filets de bœuf

sel de mer et poivre noir fraîchement moulu

SAUCE AUX CHAMPIGNONS :

25 g/1 oz de champignons mixtes séchés, tels
  que shiitake et porcinis

15 g/½ oz de margarine sans produits laitiers

2 échalotes, hachées finement

15 ml/1 c. à soupe de brandy

200 ml/7 oz liq/1 tasse de vin blanc sec

60 ml/2 oz liq/¼ tasse de crème de soja

Dîners

1   Pour faire la sauce, mettre les champignons et 300 ml/10½ oz/1¼ tasse d'eau froide dans un bol et laisser tremper 20 minutes. Passer au tamis par-dessus un bol propre et réserver le liquide.

2   Faire chauffer la margarine sans produits laitiers dans une casserole à fond épais à feu doux. Ajouter les échalotes et frire, en remuant de temps en temps, de 1 à 2 minutes jusqu'à ce qu'elles commencent à dorer. Incorporer les champignons trempés et poursuivre la cuisson 2 minutes. Ajouter le brandy, ensuite le vin et le liquide de champignons réservé. Amener à ébullition à feu vif, baisser le feu à « moyen » et laisser mijoter 15 minutes ou jusqu'à ce que le liquide ait réduit de moitié.

3   Pendant ce temps, mélanger les feuilles de menthe, de coriandre et de persil dans un bol et réserver. Faire chauffer l'huile dans une grande poêle à frire à fond épais à feu moyen. Saler et poivrer légèrement les biftecks, déposer dans la poêle et frire de 3 à 4 minutes par côté pour une cuisson « mi-saignant » ou poursuivre 1 à 2 minutes pour une cuisson « bien cuit ». Autrement, badigeonner les biftecks de l'huile restante et cuire sous un gril chaud.

4   Rendre la sauce en purée dans un mélangeur. Incorporer la crème de soja, saler et poivrer légèrement et cuire 1 minute de plus.

5   Rouler les biftecks dans les herbes en les recouvrant le plus possible. Servir immédiatement avec la sauce aux champignons.

La cuisson lente vous donne l'occasion d'utiliser des coupes de viande moins coûteuses, tout en finissant avec un résultat merveilleusement tendre.

Bœuf à cuisson lente

Donne **4 portions**   Préparation **15 minutes, plus le temps de faire le bouillon**
Cuisson **3 heures 40 minutes**

30 ml/2 c. à soupe d'huile d'olive

800 g/1 lb/12 oz de bœuf à ragoût, en cubes

2 oignons, hachés finement

2 grosses gousses d'ail, écrasées

750 ml/26 oz liq/3 tasses de vin rouge sec

250 ml/9 oz/1 tasse de Bouillon de légumes
(p. 21) ou de bouillon de légumes fait de
poudre sans gluten ni produits laitiers

25 g/1 oz de champignons porcinis séchés

2 feuilles de laurier

15 ml/1 c. à soupe de feuilles de romarin,
hachées finement

15 ml/1 c. à soupe de feuilles de thym, hachées
finement

30 ml/2 c. à soupe de kuzu

sel de mer et poivre noir fraîchement moulu

1   Faire chauffer l'huile dans une grande poêle à frire à fond épais à feu moyen. Ajouter le bœuf et cuire, en remuant de temps en temps, 5 minutes jusqu'à ce qu'il soit légèrement doré. Retirer le bœuf de la poêle à l'aide d'une cuillère trouée, transférer dans un plat à casserole allant au four et réserver.

2   Préchauffer le four à 150 °C/300 °F/gaz 2. Ajouter les oignons à la poêle et cuire, en remuant de temps en temps, 2 à 3 minutes jusqu'à ce qu'ils commencent à dorer. Incorporer l'ail. Ajouter le vin rouge, le bouillon, les champignons porcinis, les feuilles de laurier, le romarin et le thym. Saler légèrement. Couvrir et amener à ébullition à feu vif. Verser le mélange dans la casserole et remuer. Transférer au four et cuire, couvert, 3½ heures jusqu'à ce que le bœuf soit tendre.

3   À l'aide d'une louche, enlever le plus de liquide possible de la casserole et le mettre dans une autre casserole. Faire chauffer à feu moyen. Dans un petit bol, mélanger le kuzu et 30 ml/2 c. à soupe d'eau froide pour faire une pâte. Incorporer le mélange dans la casserole et laisser mijoter, en remuant de temps en temps, 2 à 3 minutes jusqu'à l'épaississement. Saler et poivrer légèrement et retirer les feuilles de laurier. Incorporer la sauce au bœuf et servir.

Une version sans gluten ni produits laitiers de ce favori de la famille — mon petit ange, Zoë, adore cette recette!

Lasagne

Donne **4 portions** Préparation **10 minutes, plus le temps de faire les sauces** Cuisson **1 heure**

1 recette de Sauce aux tomates et aux poivrons rôtis (p. 12)

une petite poignée de feuilles de persil italien, hachées, plus pour garnir

500 g/1 lb/2 oz de bœuf haché

1½ recette de Sauce blanche (p. 12)

300 g/10½ oz de fromage de soja, râpé

1 ml/¼ c. à thé de muscade fraîchement râpée

12 pâtes à lasagne sans gluten sans précuisson

1 Préchauffer le four à 180 °C/350 °F/gaz 4. Faire chauffer la sauce aux tomates et aux poivrons rôtis dans une grande casserole à fond épais à feu moyen-doux et ajouter le persil. Incorporer le bœuf haché en l'émiettant et laisser mijoter de 8 à 10 minutes.

2 Mettre la sauce blanche dans une autre casserole, y incorporer le fromage de soja et la muscade. Faire chauffer à feu doux.

3 Étaler un tiers de la sauce aux tomates sur le fond d'un plat à cuisson de 23 × 18 cm/9 × 7 po, arroser d'un quart de la sauce au fromage et couvrir de 6 pâtes à lasagne. Faire une autre couche de sauce aux tomates, de sauce au fromage et de 6 pâtes à lasagne. Recouvrir du reste de la sauce aux tomates et de la sauce au fromage en s'assurant que la sauce au fromage recouvre tout le dessus.

4 Enfourner de 45 à 50 minutes, selon le type de pâte à lasagne utilisé, jusqu'à ce que la sauce au fromage soit d'un brun doré et que les pâtes soient tendres. Parsemer de persil et servir chaud.

Frais et fougueux, ce cari combine la douceur de la courge musquée et de la noix de coco à l'acidité des feuilles de lime kafir, de la citronnelle et de la lime.

Cari aux crevettes et à la courge musquée

Donne **4 portions**   Préparation **15 minutes**   Cuisson **30 minutes**

15 ml/1 c. à soupe d'huile d'olive

250 ml/9 oz liq/1 tasse de crème de noix de coco

400 ml/14 oz liq/1⅔ tasse de lait de noix de coco

15 ml/1 c. à soupe de sauce tamari

15 à 30 ml/1 à 2 c. à soupe de sauce de poisson thaïe

500 g/1 lb/2 oz de courge musquée, pelée et coupée en cubes de 2 cm/¾ po

500 g/1 lb/2 oz de très grosses crevettes cuites

jus de 1 lime

une poignée de feuilles de coriandre, pour garnir

PÂTE DE CARI :

2,5 ml/½ c. à thé de graines de cumin

2,5 ml/½ c. à thé de graines de coriandre

1 piment fort rouge, haché grossièrement

2 échalotes, hachées grossièrement

2 gousses d'ail, hachées grossièrement

1 morceau de 2,5 cm/1 po de racine de gingembre, pelé et haché grossièrement

2 feuilles de lime kafir

1 tige de citronnelle, hachée grossièrement

2,5 ml/½ c. à thé de pâte de crevettes

zeste de 1 lime

une poignée de feuilles et de tiges de coriandre, hachées grossièrement, plus des brins pour garnir

1   Pour la pâte de cari, chauffer une poêle à frire à fond épais à feu doux. Ajouter les graines de cumin et de coriandre et cuire, en remuant sans arrêt, de 2 à 3 minutes jusqu'à ce qu'elles dégagent leur arôme. Retirer du feu et moudre en poudre fine à l'aide d'un robot culinaire ou d'un moulin à épices. Ajouter le piment fort, les échalotes, l'ail et le gingembre et bien mélanger. Ajouter tous les autres ingrédients de la pâte et mélanger jusqu'à l'obtention d'une pâte grossière.

2   Faire chauffer un wok ou une grande poêle à frire à feu moyen. Quand il est chaud, ajouter l'huile et faire tourner pour couvrir le fond. Baisser le feu à « doux » et ajouter la crème de noix de coco et le lait de noix de coco. Cuire à feu doux de 4 à 5 minutes. Ajouter la pâte de cari et cuire de 2 à 3 minutes en remuant bien.

3   Ajouter la sauce tamari, 15 ml/1 c. à soupe de la sauce de poisson et la courge et cuire à feu moyen de 12 à 15 minutes jusqu'à ce que la courge soit tendre. Prendre soin de ne pas laisser bouillir le mélange, sinon le lait de noix de coco tournera. Incorporer les crevettes et poursuivre la cuisson de 2 à 3 minutes jusqu'à ce qu'elles soient chaudes. Incorporer le jus de lime. Vérifier l'assaisonnement et ajouter de la sauce de poisson, au goût. Parsemer de la coriandre hachée et servir accompagné de brins de coriandre, si désiré.

Ceci n'est pas votre risotto standard — celui-ci combine les douces saveurs riches des fruits de mer avec du zeste de citron et du persil, ce qui lui donne une fraîcheur herbacée et légèrement acidulée.

Risotto aux fruits de mer

Donne **4 portions**   Préparation **15 minutes, plus le temps de faire le bouillon**   Cuisson **35 minutes**

800 ml/28 oz liq/3¼ tasses de Bouillon de légumes (p. 21) ou de bouillon de légumes fait de poudre sans gluten ni produits laitiers

une pincée de fils de safran

60 ml/4 c. à soupe d'huile d'olive

1 oignon, haché finement

2 gousses d'ail, écrasées

300 ml/10½ oz liq/1¼ tasse de vin blanc sec

300 g/10½ oz de saumon sans arêtes et sans peau, coupé en bouchées

250 g/9 oz/1¼ tasse de riz arborio ou d'autre riz à risotto

250 g/9 oz de petits pétoncles (ou de plus grands coupés en 2 sur l'horizontale), retirés de leur coque

250 g/9 oz de très grosses crevettes crues, décortiquées

zeste de 1 citron

une poignée de feuilles de persil, hachées

sel de mer et poivre noir fraîchement moulu

1   Mettre le bouillon dans une casserole et amener à ébullition à feu moyen. Retirer du feu, ajouter le safran et réserver.

2   Faire chauffer 30 ml/2 c. à soupe de l'huile dans une grande casserole à fond épais à feu moyen. Ajouter l'oignon et cuire, en remuant de temps en temps, 2 à 3 minutes jusqu'à ce qu'il commence à dorer. Incorporer l'ail et poursuivre la cuisson 30 secondes. Incorporer le vin et amener à ébullition à feu vif. Baisser le feu à « moyen », ajouter le saumon et pocher 5 minutes ou jusqu'à ce qu'il soit cuit. Retirer le saumon à l'aide d'une cuillère trouée et réserver.

3   Ajouter le riz et 1 louche du bouillon chaud dans le mélange aux oignons. Cuire à feu moyen-doux, en remuant sans arrêt, jusqu'à ce que tout le liquide soit absorbé. Continuer d'ajouter en remuant des louches de bouillon chaud, une à la fois, jusqu'à ce qu'il soit presque tout absorbé. Ceci devrait prendre de 18 à 20 minutes.

4   Pendant ce temps, mettre le reste de l'huile dans une poêle à frire à feu moyen. Ajouter les pétoncles et frire de 1 à 2 minutes par côté jusqu'à ce qu'ils soient dorés ou qu'ils ne soient plus translucides. Retirer de la poêle et transférer dans une assiette. Ajouter les crevettes et frire, en retournant de temps en temps, de 2 à 3 minutes jusqu'à ce qu'elles soient roses et bien cuites. Retirer de la poêle et réserver avec les pétoncles.

5   Lorsque le risotto est presque cuit, ajouter le poisson et les fruits de mer. Saler et poivrer. Incorporer le zeste de citron et cuire 2 minutes jusqu'à ce que le riz soit tendre, mais encore un peu croquant, que le poisson et les fruits de mer soient chauds et que tout le liquide soit absorbé. Incorporer le persil et servir.

La cuisson dans des feuilles de bananier est un excellent substitut aux feuilles de papier d'aluminium, qui contiennent des métaux lourds. On peut les retrouver dans plusieurs épiceries asiatiques, mais si jamais vous n'en trouvez pas, vous pouvez utiliser du papier sulfurisé.

Bar en feuilles de bananier

Donne **4 portions**   Préparation **15 minutes, plus 2 heures de marinade**   Cuisson **15 minutes**

30 ml/2 c. à soupe d'huile d'olive

30 ml/2 c. à soupe de sauce tamari

jus de 1 lime

15 ml/1 c. à soupe de sirop d'agave

5 ml/1 c. à thé de pâte de crevettes

5 ml/1 c. à thé de muscade fraîchement râpée

2 échalotes, hachées grossièrement

4 gousses d'ail, hachées grossièrement

3 tiges de citronnelle, hachées grossièrement

1 morceau de 2,5 cm/1 po de racine de gingembre, pelé et haché grossièrement

une poignée de feuilles de menthe, plus pour garnir

une poignée de feuilles de basilic

2 poignées de feuilles et de tiges de coriandre, plus pour garnir

4 bars entiers, nettoyés

2 feuilles de bananier, coupées en 2

1   Mettre tous les ingrédients sauf la menthe, le basilic, la coriandre, le bar et les feuilles de bananier dans un robot culinaire. Mélanger pour former une pâte grossière un peu liquide. Ajouter les herbes et bien mélanger.

2   Mettre une cuillerée du mélange dans la cavité de chaque poisson et déposer le poisson dans un plat non métallique. À l'aide d'une cuillère, déposer le reste du mélange sur les poissons, couvrir et laisser mariner au réfrigérateur 2 heures.

3   Préchauffer le four à 180 °C/350 °F/gaz 4. Laver les feuilles de bananier à l'eau froide et en déposer une sur un plan de travail propre. Mettre un bar dessus, arroser de quelques cuillerées de marinade et bien envelopper. Utiliser de la ficelle, au besoin. Répéter avec les feuilles et les poissons restants et déposer sur une plaque de cuisson. Enfourner 15 minutes et servir.

Le fromage à la crème de soja est un excellent ingrédient sans produits laitiers qui procure une consistance riche et une délectable saveur à ce plat.

Roulade au saumon

Donne **4 à 6 portions**   Préparation **20 minutes**   Cuisson **1 heure 5 minutes**

400 g/14 oz de filet de saumon sans arêtes et
    sans peau
margarine sans produits laitiers, pour graisser
15 ml/1 c. à soupe d'huile d'olive
2 échalotes, hachées finement
1 recette de Sauce blanche (p. 12), faite avec
    500 ml/17 oz liq/2 tasses de lait de soja non
    sucré au lieu de bouillon
4 œufs, séparés

zeste de 1 citron
jus de ½ citron, plus des quartiers pour
    accompagner
25 g/1 oz d'aneth, haché, plus pour garnir
50 g/1¾ oz de fromage à la crème de soja
400 à 500 g/14 oz à 1 lb 2 oz de tranches de
    saumon fumé
sel de mer et poivre noir fraîchement moulu

1   Préchauffer le four à 180 °C/350 °F/gaz 4. Mettre les filets de saumon dans un plat à casserole, y mettre un couvercle et enfourner de 20 à 25 minutes jusqu'à ce qu'ils soient cuits. Réserver et laisser refroidir. Graisser un moule à cuisson de 30 × 20 cm/12 × 8 po de margarine sans produits laitiers et tapisser le fond de papier sulfurisé.

2   Chauffer l'huile dans une grande casserole à fond épais à feu doux. Ajouter les échalotes et cuire, en remuant quelquefois, de 2 à 3 minutes jusqu'à ce qu'elles commencent à dorer. Dans une autre casserole à fond épais, faire chauffer la sauce blanche à feu moyen, retirer du feu et incorporer en fouettant les jaunes d'œuf. Ajouter les échalotes et saler et poivrer légèrement.

3   Mettre les blancs d'œuf dans un bol propre et fouetter jusqu'à la formation de pics fermes. En ajouter le tiers dans le mélange aux jaunes d'œuf et fouetter jusqu'à l'homogénéité. À l'aide d'une cuillère en métal, incorporer le reste des blancs d'œuf. Verser le mélange dans le moule à cuisson et enfourner 25 minutes jusqu'à ce qu'il soit bien doré.

4   Mettre le saumon cuit, le zeste et le jus de citron, l'aneth et le fromage à la crème de soja dans un robot culinaire. Assaisonner légèrement, car le saumon fumé est salé, et bien mélanger.

5   Retirer le mélange aux œufs du four et laisser refroidir quelques minutes. Le démouler et retirer le papier sulfurisé. Le retourner et mettre sur un linge à vaisselle propre. Couvrir d'une couche de saumon fumé. Avec une cuillère, déposer le mélange de saumon cuit par-dessus et étaler uniformément. Se servir du linge à vaisselle pour tenir la base et rouler délicatement à partir du côté long de la roulade pour former une grande saucisse. Servir tiède accompagné de quartiers de citron et parsemé d'aneth et de poivre noir, ou laisser refroidir, envelopper de pellicule plastique et réfrigérer jusqu'à 12 heures avant de servir.

Dîners

La combinaison de fécule de maïs et de polenta donne un délicieux enrobage croustillant et croquant au poisson — et la farine de riz procure un croquant délicat au maïs.

Bâtonnets de poisson et maïs miniatures croustillants

Donne **4 portions**   Préparation **15 minutes**   Cuisson **10 minutes**

85 g/3 oz/⅔ tasse de fécule de maïs

2 gros œufs

200 g/7 oz/1⅓ tasse de polenta à cuisson
 rapide

5 ml/1 c. à thé de piment rouge broyé

400 g/14 oz de filets de poisson blanc comme la
 morue, sans arêtes et sans peau, coupés en
 lanières

500 ml/17 oz liq/2 tasses d'huile de colza

sel de mer et poivre noir fraîchement moulu

MAÏS MINIATURES CROUSTILLANTS :

300 g/10½ oz de maïs miniature

60 ml/2 oz liq/¼ tasse de lait de soja

100 g/3½ oz/½ tasse comble de farine de riz

250 ml/9 oz liq/1 tasse d'huile de colza

1   Pour les maïs miniatures croustillants, mettre les maïs dans un cuiseur à vapeur et cuire, couvert, à feu vif de 5 à 6 minutes jusqu'à ce qu'ils soient tendres, mais encore croquants. Réserver. Mettre le lait de soja et la farine de riz dans 2 bols séparés, saler et poivrer la farine de riz et réserver.

2   Mettre la fécule de maïs, les œufs et la polenta dans 3 bols séparés. Battre légèrement les œufs. Assaisonner la polenta avec le piment broyé, du sel et du poivre. Bien mélanger.

3   Tremper chaque lanière de poisson dans la fécule de maïs pour bien enrober, tremper dans les œufs et dans la polenta. Déposer dans une assiette.

4   Tremper chaque maïs miniature dans le lait de soja et dans la farine de riz pour bien enrober. Transférer dans une autre assiette.

5   Faire chauffer les 2 quantités d'huile dans des casseroles ou wok séparés jusqu'à ce que l'huile soit très chaude. Pour tester si l'huile est assez chaude, déposer un maïs miniature dans la plus petite quantité d'huile. Il devrait grésiller et commencer à dorer immédiatement. Sinon, le retirer et laisser l'huile chauffer davantage. Lorsque l'huile est assez chaude, déposer rapidement la moitié des bâtonnets de poisson dans la plus grande quantité d'huile chaude et la moitié des maïs dans l'autre. Travailler par lots, pour éviter de trop remplir les casseroles. Frire le poisson 2 minutes ou jusqu'à ce qu'il soit bien doré et cuit. Frire les maïs de 1½ à 2 minutes en les retournant à la mi-cuisson jusqu'à qu'ils soient légèrement dorés. Retirer le poisson et le maïs de l'huile à l'aide d'une cuillère trouée. Égoutter sur des essuie-tout et servir immédiatement.

Si vous avez déjà cherché en vain une recette qui emploie des poissons plus abordables et renouvelables, comme la morue et la goberge, je vous présente la solution.

Ragoût de poisson

Donne **4 à 6 portions**   Préparation **20 minutes, plus le temps de faire le fumet**   Cuisson **30 minutes**

30 ml/2 c. à soupe d'huile d'olive

1 oignon, haché finement

4 gousses d'ail, écrasées

2 bulbes de fenouil, hachés

2 branches de céleri, hachées

2 tomates italiennes, hachées

500 g/1 lb/2 oz de moules

2,5 ml/½ c. à thé de poivre de Cayenne

une pincée de fils de safran

15 ml/1 c. à soupe de pâte de tomates

185 ml/6 oz liq/¾ tasse de vin blanc sec

375 ml/13 oz liq/1½ tasse de Fumet de poisson (p. 20) ou de fumet de poisson fait de poudre sans gluten et sans produits laitiers, réchauffé

1 kg/2 lb/4 oz de filets de poisson blanc sans arêtes et sans peau, coupés en gros morceaux

une grosse poignée de feuilles de persil italien, hachées

sel de mer et poivre noir fraîchement moulu

1   Faire chauffer l'huile dans une grande casserole à fond épais ou dans une poêle profonde à feu doux. Ajouter l'oignon et cuire, en remuant de temps en temps, de 2 à 3 minutes jusqu'à ce qu'il commence à dorer. Incorporer l'ail et poursuivre la cuisson 30 secondes. Ajouter le fenouil, le céleri et les tomates. Augmenter le feu à « moyen » et cuire, en remuant de temps en temps, 10 minutes ou jusqu'à ce que les tomates aient ramolli un peu.

2   Pendant ce temps, bien frotter les moules à l'eau froide courante et bien rincer. Pour retirer les filaments, les tirer vers la grosse partie de la coquille. Si des moules sont ouvertes, les frapper contre un plan de travail et si elles ne se referment pas, les jeter.

3   Incorporer le poivre de Cayenne, le safran et la pâte de tomates aux légumes. Ajouter le vin et le bouillon. Saler et poivrer, couvrir et amener à ébullition à feu mi-vif. Baisser le feu à « doux » et cuire 5 minutes jusqu'à ce que le fenouil soit tendre.

4   Incorporer délicatement le poisson et poursuivre la cuisson 5 minutes. Ajouter les moules et presser délicatement, pour les immerger le plus possible. Couvrir la casserole et cuire 3 minutes. Retirer et jeter toute moule qui n'est pas ouverte. Ajouter le persil en remuant et servir.

Cette recette est parfaite pour recevoir — vous pouvez faire la pâte d'avance, et il ne vous restera qu'à assembler la pâte d'herbe, l'étaler sur le saumon et créer un plat spectaculaire sans aucun effort.

Saumon en croûte

Donne **4 portions**　Préparation **15 minutes, plus le temps de faire la pâte**　Cuisson **30 minutes**

50 g/1¾ oz de margarine sans produits laitiers,
　　plus pour graisser
une grande poignée de feuilles de roquette
une petite poignée de feuilles de menthe
zeste de 1 citron
2,5 ml/½ c. à thé de sel de mer, broyé

farine de riz, pour fariner
1 recette de Pâte brisée (p. 19)
500 g/1 lb/2 oz de filet de saumon, sans arêtes
　　et sans la peau
1 œuf, battu

1　Préchauffer le four à 200 °C/400 °F/gaz 6. Graisser un moule de cuisson de margarine sans produits laitiers et découper un morceau de papier sulfurisé de la même taille que le moule. Mettre la margarine sans produits laitiers, les feuilles de roquette et de menthe, le zeste de citron et le sel dans un robot culinaire et bien mélanger.

2　Fariner généreusement une planche à découper avec la farine de riz et abaisser la pâte en un grand rectangle d'environ 3 mm/⅛ po d'épaisseur et d'un peu plus que 2 fois la largeur du filet de saumon. Faire attention, car la pâte sera un peu collante. Mettre le papier sulfurisé sur la pâte et le tenir en place d'une main. Retourner la planche à découper et déposer délicatement le papier sulfurisé, avec la pâte qui se trouve dessus, sur le plan de travail.

3　Mettre le saumon au centre de la pâte et l'étaler la pâte aux herbes dessus. À l'aide d'un couteau tranchant, découper un carré de 3 à 4 cm/1¼ à 1½ po de chaque coin de la pâte. Jeter ces morceaux ou les garder pour décorer le dessus de la pâte, si désiré. En utilisant le papier sulfurisé pour tenir la pâte ensemble, replier les 2 côtés longs de la pâte par-dessus le saumon de manière à ce que les bords se chevauchent légèrement. Lisser soigneusement la pâte le long du joint, pour bien le fermer. Replier les 2 côtés courts pour sceller les côtés. Les couper s'ils sont trop longs. Lisser les joints de la pâte encore une fois. À l'aide d'un pinceau à pâtisserie, badigeonner l'œuf sur la pâte, surtout sur les joints, et tailler 3 fentes sur le dessus de la pâte.

4　Enfourner de 25 à 30 minutes jusqu'à ce que la pâte soit bien dorée et servir.

Le fromage de soja est un excellent substitut sans produits laitiers. Dans cette recette, il procure de la protéine et des nutriments, mais aussi un goût riche et une superbe texture pour la couche supérieure.

Aubergine parmigiana

Donne **4 portions**   Préparation **15 minutes, plus le temps de faire la sauce**   Cuisson **1 heure**

4 aubergines, coupées en rondelles épaisses

30 ml/2 c. à soupe d'huile d'olive

1½ recette de Sauce aux tomates et aux poivrons rôtis (p. 12)

une petite poignée de feuilles de thym

2 poignées de feuilles de basilic, hachées

200 g/7 oz de fromage de soja, râpé

1   Préchauffer le four à 180 °C/350 °F/gaz 4. Mettre les tranches d'aubergine sur des plaques de cuisson et arroser d'huile d'olive. Enfourner 30 minutes jusqu'à ce qu'elles soient bien dorées.

2   Ajouter le thym et une petite poignée de basilic à la Sauce aux tomates et aux poivrons rôtis et bien mélanger.

3   Mettre une couche de tranches d'aubergine dans le fond d'un plat à cuisson et recouvrir d'un quart de la sauce aux tomates. Parsemer une poignée du fromage de soja et un quart du basilic restant par-dessus. Répéter les couches 3 fois en s'assurant que le fromage de soja est uniformément réparti chaque fois et surtout sur la couche du dessus.

4   Enfourner 30 minutes ou jusqu'à ce que le dessus soit d'un brun doré et servir.

Le thym citronnelle a une saveur aromatique de sous-bois et d'agrumes qui se marie bien au goût sucré des oignons rouges rôtis de cette tarte.

Tarte aux oignons rôtis et au thym citronnelle

Donne **4 portions**   Préparation **15 minutes, plus le temps de faire la pâte**
Cuisson **1 heure 20 minutes**

margarine sans produits laitiers, pour graisser

4 oignons rouges, chacun coupé en 8 morceaux

30 ml/2 c. à soupe d'huile d'olive

farine de riz, pour fariner

1 recette de Croûte légère à pâtisserie (p. 18), mais utiliser une patate douce au lieu d'une pomme de terre

80 g/2¾ oz de tofu ferme ou de fromage de soja

2 gros œufs, plus 5 gros jaunes d'œuf

90 ml/6 c. à soupe de lait de soja non sucré

une grande poignée de feuilles de thym citronnelle, hachées

sel de mer et poivre noir fraîchement moulu

1 Préchauffer le four à 180 °C/350 °F/gaz 4 et graisser un moule à tarte à fond amovible de 20 cm/8 po de margarine sans produits laitiers. Disposer les oignons sur une plaque de cuisson et arroser d'huile. Enfourner de 20 à 25 minutes jusqu'à ce qu'ils commencent à dorer.

2 Fariner généreusement une planche à découper de farine de riz et abaisser la pâte en un cercle légèrement plus grand que le moule à tarte, en laissant assez de pâte pour couvrir les côtés. Faire attention, car la pâte sera encore un peu collante. Tailler les bords avec un couteau et déposer délicatement la pâte dans le moule, en prenant soin de presser pour éliminer toute bulle d'air. Si la pâte semble trop fragile pour être soulevée jusqu'au moule, déposer le moule à l'envers sur la pâte et retourner la planche à découper, pour que la pâte tombe dans le moule. Tailler l'excédent de pâte à l'aide d'un couteau tranchant et piquer le fond de la croûte avec une fourchette. Tapisser le dessus de la pâte avec du papier sulfurisé et remplir de haricots secs. Enfourner de 8 à 10 minutes jusqu'à ce que la croûte soit à peine dorée. Retirer la croûte du four et retirer le papier sulfurisé et les haricots. Remettre au four 2 minutes.

3 Étaler les oignons sur la croûte et émietter le tofu ou le fromage de soja par-dessus. Fouetter les œufs, les jaunes d'œuf et le lait de soja dans un bol. Incorporer le thym citronnelle, saler et poivrer. Verser le mélange sur les oignons et le tofu.

4 Enfourner de 30 à 35 minutes jusqu'à ce que la garniture soit cuite. Retirer du four et laisser refroidir dans le moule 5 minutes. Démouler délicatement la tarte sur une assiette de service et servir.

Cette recette est une véritable mine de nutriments, débordante de vitamines, de minéraux, de protéines et d'acides gras essentiels. Elle comporte des nouilles soba sans gluten, de la pâte miso et de la fécule de maïs pour épaissir la sauce.

Nouilles soba au sarrasin avec tofu et miso

Donne **4 portions**   Préparation **15 minutes**   Cuisson **25 minutes**

1 feuille de kombu

6 ciboules, partie blanche seulement

1 morceau de 2,5 cm/1 po de racine de gingembre, pelé et haché finement

30 ml/2 c. à soupe de sauce tamari

30 ml/2 c. à soupe de pâte miso

300 g/10½ oz de champignons exotiques mélangés, tels que maïtaké et shiitake, tranchés

2 pak-choï, coupés en tiers sur la largeur, tiges et feuilles séparées

350 g/12 oz d'asperges, bouts fibreux jetés et tiges hachées

250 g/9 oz de nouilles soba de sarrasin à 100 % séchées

250 g/9 oz de tofu ferme, asséché avec des essuie-tout et coupé en cubes

50 g/1¾ oz/⅓ tasse comble de fécule de maïs

60 ml/4 c. à soupe d'huile d'olive

1   Mettre le kombu, les ciboules, le gingembre et 1 l/35 oz liq/4 tasses d'eau dans une grande casserole à fond épais. Mettre un couvercle et amener à ébullition à feu vif. Baisser le feu à « moyen » et laisser mijoter 5 minutes.

2   Incorporer la sauce tamari et le miso et ajouter délicatement les champignons, les tiges de pak-choï, les asperges et les nouilles, en prenant soin que les nouilles soient recouvertes de liquide. Couvrir et ramener à ébullition à feu vif et baisser le feu à « moyen ». Laisser mijoter 8 minutes, en remuant de temps en temps pour s'assurer que les nouilles ne collent pas ensemble. Ajouter les feuilles de pak-choï et poursuivre la cuisson de 2 à 3 minutes jusqu'à ce que les légumes soient tendres et qu'il reste du bouillon dans la casserole. Retirer et jeter le kombu.

3   Pendant ce temps, rouler le tofu dans la fécule de maïs, pour enrober uniformément. Faire chauffer l'huile dans une grande poêle à frire ou dans un wok à feu mi-vif et y ajouter le tofu. Frire, en tournant de temps en temps, de 5 à 8 minutes jusqu'à ce qu'il soit doré. Servir sur les nouilles, les légumes et le bouillon.

Comme tous les ragoûts, la saveur d'un tajine se trouve rehaussée lorsqu'il est fait à l'avance et ensuite réchauffé. Réfrigérer celui-ci toute la nuit ou conservez-le au congélateur quelque mois, pour un repas hyperfacile et pratique.

Tajine de légumes

Donne **4 portions**   Préparation **15 minutes, plus au moins 12 heures de trempage (facultatif) et le temps de faire le bouillon**   Cuisson **2 heures 15 minutes**

**200 g/7 oz/1 tasse rase de pois chiches secs
ou 400 g/14 oz de pois chiches en boîte,
égouttés et rincés**

30 ml/2 c. à soupe d'huile d'olive

2 oignons, hachés finement

2 gousses d'ail, écrasées

5 ml/1 c. à thé de cannelle

5 ml/1 c. à thé de cumin

5 ml/1 c. à thé de coriandre

7,5 ml/1½ c. à thé de harissa

1 aubergine, coupée en gros cubes

3 carottes, coupées en bâtonnets

**1 petite courge musquée, pelée, épépinée et
hachée**

**100 g/3½ oz/½ tasse d'abricots séchés non
soufrés, hachés**

**250 ml/9 oz liq/1 tasse de Bouillon de légumes
(p. 21) ou de bouillon de légumes fait de
poudre sans gluten et sans produits laitiers**

100 g/3½ oz/1 tasse comble d'amandes effilées

une poignée de feuilles de persil italien, hachées

sel de mer et poivre noir fraîchement moulu

1   Si des pois chiches secs sont utilisés, les mettre dans un bol, recouvrir d'eau froide et laisser tremper toute la nuit ou au moins 12 heures. Égoutter et bien rincer. Transférer dans une grande casserole, recouvrir d'eau fraîche et amener à ébullition à feu vif. Faire bouillir 10 minutes, baisser le feu à « doux » et laisser mijoter délicatement, couvert, de 1 à 1½ heure jusqu'à ce qu'ils soient tendres. Bien égoutter.

2   Faire chauffer l'huile dans une grande casserole à fond épais à feu moyen. Ajouter les oignons et cuire, en remuant de temps en temps, de 2 à 3 minutes jusqu'à ce qu'ils commencent à dorer. Ajouter l'ail et poursuivre la cuisson 30 secondes en remuant. Incorporer les épices et la harissa.

3   Ajouter l'aubergine et cuire en remuant de temps en temps durant 5 minutes. Ajouter les carottes et la courge musquée et poursuivre la cuisson 5 minutes, en remuant. Ajouter les abricots et le bouillon, baisser le feu à « moyen » et laisser mijoter, couvert, 20 minutes ou jusqu'à ce que les légumes soient tendres, en remuant de temps en temps.

4   Pendant ce temps, faire chauffer une poêle à fond épais à feu moyen. Ajouter les amandes et cuire, en remuant sans arrêt, de 2 à 3 minutes jusqu'à ce qu'elles commencent à dorer.

5   Ajouter les pois chiches cuits et le persil à la tajine et bien remuer. Parsemer des amandes et servir.

Les haricots de Lima sont mes préférés parmi tous les haricots. Ils regorgent de protéines, de fibres et de glucides à faible indice glycémique. Ils ont une belle texture ferme et un délicieux goût subtil qui se marie bien aux saveurs plus prononcées.

Haricots de Lima et riz à l'espagnole

Donne **4 portions**   Préparation **20 minutes, plus 12 heures de trempage (facultatif) et le temps de faire le bouillon**   Cuisson **2 heures 15 minutes**

300 g/10½ oz/1½ tasse de haricots de Lima secs ou 600 g/1 lb/5 oz de haricots de Lima en boîte, égouttés et rincés

90 ml/6 c. à soupe d'huile d'olive

1 oignon, haché finement

2 gousses d'ail, écrasées

22,5 ml/1½ c. à soupe de paprika fumé, plus une quantité supplémentaire pour garnir

15 ml/1 c. à soupe de pâte de tomates

300 g/10½ oz/1½ tasse de riz basmati brun

350 ml/12 oz liq/1½ tasse de vin blanc sec

600 ml/21 oz liq/2½ tasses de Bouillon de légumes wwwp. 21) ou de bouillon de légumes fait de poudre sans gluten et sans produits laitiers, chaud, plus au besoin

6 tomates, coupées en 2

4 poivrons rouges, coupés en quartiers et épépinés

4 poivrons orange, coupés en quartiers et épépinés

100 g/3½ oz/½ tasse d'olives espagnoles dénoyautées, hachées

une grosse poignée de feuilles de persil italien, hachées

1   Si des haricots de Lima secs sont utilisés, les mettre dans un bol, recouvrir d'eau froide et laisser tremper toute la nuit ou au moins 12 heures. Égoutter et bien rincer. Transférer dans une grande casserole, recouvrir d'eau fraîche et amener à ébullition à feu vif. Faire bouillir 10 minutes, baisser le feu à « doux » et laisser mijoter délicatement, couvert, de 1 à 1½ heure jusqu'à ce qu'ils soient tendres. Bien égoutter.

2   Faire chauffer 30 ml/2 c. à soupe d'huile dans une grande casserole à fond épais à feu moyen. Ajouter l'oignon et cuire, en remuant de temps en temps, de 2 à 3 minutes jusqu'à ce qu'il commence à dorer. Ajouter l'ail et cuire environ 30 secondes. Ajouter le paprika, la pâte de tomates et le riz.

3   Ajouter le vin et le bouillon, couvrir et amener à ébullition à feu vif. Baisser le feu à « moyen » et laisser mijoter de 35 à 40 minutes jusqu'à ce que le riz soit tendre, mais croquant et que tout le liquide soit absorbé. Rajouter du bouillon pendant la cuisson, au besoin.

4   Pendant ce temps, préchauffer le four à 180 °C/350 °F/gaz 4. Mettre les tomates et les poivrons sur des plaques de cuisson et arroser du reste de l'huile. Enfourner 25 minutes jusqu'à ce qu'ils soient tendres. Mettre les poivrons dans un bol, couvrir avec une assiette et laisser reposer 5 minutes. Retirer la peau des poivrons et couper la chair en gros morceaux.

5   Lorsque le riz est presque cuit, incorporer en remuant les poivrons, les tomates, les haricots de Lima et les olives. Une fois cuit, incorporer le persil. Saupoudrer de paprika et servir.

Desserts

Si vous rêvez de manger des tartelettes ou des tartes, du gâteau au fromage ou de la glace crémeuse, vos rêves sont maintenant réalité! Vous trouverez ici des plats succulents, des Tartelettes à la crème de fruits de la passion et de la Tarte aux cerises, du Gâteau au fromage, aux bleuets et à la lime et du Semifreddo au chocolat. Mais bien que certains des desserts, comme le Fondant au chocolat, soient des indulgences pures, plusieurs de ces recettes sont santé, en plus d'être délicieuses. Délectez-vous du Soufflé au chocolat et aux bananes, par exemple, au lieu de la version classique au chocolat, de la Croustade aux pommes et aux baies et du Pouding d'été, tous deux débordants de fruits, ou de la Pannacotta aux fraises, faite avec une crème de noix de cajou riche en nutriments. Comme mon père disait toujours, «C'est un cœur triste qui ne prend jamais de plaisir!»

Gâteau au fromage, aux bleuets et à la lime, page 158 >

La pâte sans gluten a tendance à brunir et à brûler très facilement. Cette recette est enfournée plus longtemps que la plupart des tartes, donc il est important de la vérifier vers la fin de son temps de cuisson au four et de la recouvrir de papier sulfurisé, pour éviter qu'elle brunisse trop.

Tarte aux poires et à la frangipane d'amandes

Donne **6 à 8 portions**   Préparation **20 minutes, plus le temps de faire la pâte**   Cuisson **55 minutes**

75 g/2½ oz de margarine sans produits laitiers, plus pour graisser

farine de riz, pour fariner

1 recette de Pâte brisée sucrée (p. 19)

50 g/1¾ oz/¼ tasse de fructose ou de sucre semoule

2 œufs

100 g/3½ oz/1 tasse d'amandes moulues

2 poires, pelées, coupées en quartiers et évidées

45 ml/3 c. à soupe de tartinade aux poires et aux abricots ou de confiture d'abricots

1 Préchauffer le four à 180 °C/350 °F/gaz 4. Graisser un moule à tarte à fond amovible de 20 cm/8 po de margarine et tapisser le fond de papier sulfurisé. Bien fariner une planche à découper avec la farine de riz et abaisser la pâte en un cercle légèrement plus grand que le moule à tarte, en laissant assez de pâte pour couvrir les côtés. Tailler les bords avec un couteau tranchant. Attention, la pâte sera encore un peu collante. Déposer le moule à l'envers sur la pâte et retourner la planche à découper, pour que la pâte tombe dans le moule. Placer la pâte dans le moule et presser pour éliminer toute bulle d'air. Piquer le fond de la croûte avec une fourchette. Tapisser le dessus de la pâte avec du papier sulfurisé et remplir de haricots secs.

2 Enfourner 8 minutes jusqu'à ce qu'elle commence à dorer. Retirer du four et retirer le papier sulfurisé et les haricots.

3 Faire la garniture. Mettre la margarine et le sucre dans un grand bol à mélanger et battre, avec un batteur électrique jusqu'à l'obtention d'un mélange léger et moelleux. Incorporer les œufs en les battant un à la fois. Ajouter les amandes moulues et mélanger avec une cuillère jusqu'à l'homogénéité.

4 Trancher chaque quartier de poire en 4 tranches minces. À l'aide d'un pinceau à pâtisserie, badigeonner 30 ml/2 c. à soupe de la tartinade sur le fond de la croûte, y verser la garniture et recouvrir des tranches de poire. Couvrir le moule de papier sulfurisé. S'assurer que les bouts du papier sulfurisé sont bien rentrés sous le moule.

5 Enfourner 30 minutes et retirer le papier sulfurisé. À l'aide du pinceau à pâtisserie, badigeonner délicatement le reste de tartinade sur les poires et poursuivre la cuisson de 10 à 15 minutes jusqu'à ce que la garniture soit prise. Retirer du four et laisser refroidir dans le moule 5 minutes. Démouler délicatement sur une assiette et servir.

La crème de soja convient tout à fait aux épices, à la citrouille et aux œufs, et nous donne une tarte merveilleusement riche et crémeuse.

Tarte à la citrouille

Donne **6 à 8 portions**   Préparation **25 minutes, plus le temps de faire la pâte**
Cuisson **1 heure 30 minutes**

**1,5 kg/3 lb/5 oz de citrouille, coupée en
16 tranches, épépinée et fils retirés**
margarine sans produits laitiers, pour graisser
farine de riz, pour fariner
1 recette de Pâte brisée sucrée (p. 19)
**85 g/3 oz/½ tasse de fructose ou de sucre
semoule**

5 ml/1 c. à thé de cannelle
2,5 ml/½ c. à thé de muscade moulue
50 ml/1¾ oz/¼ tasse de crème de soja
2 gros œufs

1   Préchauffer le four à 180 °C/350 °F/gaz 4. Mettre la citrouille sur une plaque de cuisson, pelure vers le bas, et enfourner 40 minutes jusqu'à ce qu'elle soit bien cuite. Retirer du four et laisser refroidir 5 minutes ou jusqu'à ce qu'elle ait assez refroidi pour être manipulée. Déposer la chair dans un robot culinaire et jeter la pelure.

2   Graisser un moule à tarte à fond amovible de 20 cm/8 po de margarine sans produits laitiers et tapisser le fond de papier sulfurisé. Fariner généreusement une planche à découper avec la farine de riz et abaisser la pâte en un cercle légèrement plus grand que le moule à tarte, en laissant assez de pâte pour couvrir les côtés. Tailler les bords avec un couteau tranchant. Faire attention, car la pâte sera encore un peu collante. Déposer le moule à l'envers sur la pâte et retourner la planche à découper, pour que la pâte tombe dans le moule. Placer la pâte dans le moule, en prenant soin de presser pour éliminer toute bulle d'air. Piquer le fond de la croûte avec une fourchette. Tapisser le dessus de la pâte avec du papier sulfurisé et remplir de haricots secs.

3   Enfourner de 8 à 10 minutes jusqu'à ce qu'elle commence à dorer. Retirer le papier sulfurisé et les haricots et poursuivre la cuisson 2 minutes. Retirer du four.

4   Pendant ce temps, mélanger la chair de citrouille environ 5 minutes ou jusqu'à ce qu'elle soit en purée. Ajouter le sucre, la cannelle, la muscade et la crème de soja et bien mélanger. Ajouter les œufs et mélanger jusqu'à l'homogénéité. Verser la garniture dans la croûte. Enfourner 10 minutes et recouvrir d'un morceau de papier sulfurisé, pour empêcher la croûte de trop brunir. Poursuivre la cuisson de 20 à 25 minutes jusqu'à ce que la garniture soit prise, mais encore un peu gélatineuse. Retirer du four et laisser refroidir dans le moule 5 minutes. Transférer dans une assiette et servir.

Je trouve que la pâte sans gluten doit contenir plus d'humidité que la pâte ordinaire, ce qui la rend collante et difficile à manipuler. Mais si vous utilisez une planche à découper et que vous travaillez rapidement, vous réussirez à faire une tarte à deux croûtes comme celle-ci.

Tarte aux cerises

Donne **8 à 10 portions**   Préparation **25 minutes, plus le temps de faire la pâte et la crème de noix**
Cuisson **1 heure**

margarine sans produits laitiers, pour graisser

1 kg/2 lb/4 oz de cerises, dénoyautées

100 g/3½ oz/½ tasse comble de fructose ou de
   sucre semoule

15 ml/1 c. à soupe de jus de citron

30 ml/2 c. à soupe de fécule de maïs

farine de riz, pour abaisser la pâte

1½ recette de Pâte brisée sucrée (p. 19)

1 œuf ou jaune d'œuf, battu

½ recette de Crème de noix de cajou (p. 13)
   ou de crème de soja (facultatif), pour
   accompagner

1   Préchauffer le four à 180 °C/350 °F/gaz 4 et graisser un moule à tarte de 23 cm/9 po de margarine sans produits laitiers. Mettre les cerises, le fructose et le jus de citron dans une casserole à fond épais et faire chauffer à feu doux, en remuant de temps en temps, 20 à 25 minutes jusqu'à ce que les cerises aient ramolli. Mettre la fécule de maïs et 30 ml/2 c. à soupe d'eau dans un petit bol et remuer jusqu'à la consistance lisse.

2   Fariner généreusement une planche à découper de farine de riz et réserver un tiers de la pâte. Abaisser le deux tiers de la pâte en un cercle légèrement plus grand que le moule à tarte, en laissant assez de pâte pour couvrir les côtés. Tailler les bords avec un couteau tranchant. Faire attention, car la pâte sera encore un peu collante. Déposer le moule à tarte à l'envers sur la pâte et retourner la planche à découper, pour que la pâte tombe dans le moule. Placer la pâte dans le moule, en prenant soin de presser pour éliminer toute bulle d'air. Tailler les bords à l'aide d'un couteau tranchant et verser la garniture aux cerises dans la croûte.

3   Fariner la planche à découper avec la farine de riz à nouveau. Abaisser la pâte en un cercle un peu plus grand que le moule à tarte, pour pouvoir presser la pâte contre les bords. À l'aide d'un pinceau à pâtisserie, badigeonner le rebord de la pâte, qui est déjà dans le moule avec de l'eau. À l'aide d'une spatule, soulever l'autre pâte et placer sur la tarte. Presser tout autour du rebord, pour le sceller. Badigeonner le dessus d'œuf battu et découper un petit « X » au centre du dessus, pour que la vapeur s'échappe pendant la cuisson.

4   Enfourner 30 minutes ou jusqu'à ce que la croûte soit d'un brun doré. Laisser refroidir 5 minutes et servir chaud. Arroser de crème de noix de cajou, si désiré.

Lorsque j'étais enfant, j'adorais la crème au citron que ma mère faisait. Cette version aux fruits de la passion, inspirée par sa recette originale, procure une saveur piquante et relevée à ces tartelettes.

Tartelettes à la crème de fruits de la passion

Donne **4 portions**   Préparation **15 minutes, plus le temps de faire la pâte et 30 minutes de refroidissement**   Cuisson **10 minutes**

100 g/3½ oz de margarine sans produits laitiers, plus pour graisser

farine de riz, pour fariner

1 recette de Pâte brisée sucrée (p. 19)

80 g/2¾ oz/½ tasse de fructose ou de sucre semoule

1 gros œuf, plus 3 gros jaunes d'œuf, battus

6 fruits de la passion, coupés en 2

15 ml/1 c. à soupe de confiture d'abricots

1   Préchauffer le four à 200 °C/400 °F/gaz 6 et graisser de margarine sans produits laitiers 4 moules à tartelette de 10 cm/4 po. Fariner généreusement une planche à découper de farine de riz et abaisser délicatement la pâte à une épaisseur d'environ 3 mm/⅛ po. Découper 4 cercles de pâte à l'aide d'un emporte-pièce d'un diamètre légèrement plus grand que les moules à tartelette, pour couvrir les côtés. Congeler toute pâte restante, pour utilisation future. Faire attention, car la pâte sera collante. Soulever les cercles de pâte dans chaque moule à tartelette (l'utilisation d'une spatule pourrait être nécessaire) et presser délicatement, pour retirer toute bulle d'air. Tailler les bords à l'aide d'un couteau tranchant, tapisser chaque moule de papier sulfurisé et couvrir de haricots secs. Mettre les moules sur une plaque de cuisson et enfourner 10 minutes jusqu'à ce que la pâte soit ferme et légèrement dorée.

2   Pendant ce temps, mettre la margarine sans produits laitiers et le sucre au bain-marie. Faire chauffer, en remuant de temps en temps, jusqu'à ce que la margarine ait fondu. Déposer les graines de fruit de la passion dans le mélange et ajouter les œufs. Remuer jusqu'à l'épaississement et réserver, pour laisser refroidir. (Si les tartelettes ne sont pas servies immédiatement, réfrigérer la crème lorsqu'elle a refroidi.)

3   Retirer les croûtes du four et enlever le papier sulfurisé et les haricots. Laisser refroidir environ 3 minutes et démouler sur une grille en métal, pour refroidir complètement.

4   À l'aide d'une cuillère, déposer la crème dans les croûtes à tartelette et servir immédiatement. Conserver toute tartelette restante au réfrigérateur une journée.

Ce merveilleux gâteau au fromage, rempli de bleuets sucrés et mis en valeur par la lime acidulée, le riche fromage à la crème de soja et les biscuits au gingembre épicés, est un vrai délice.

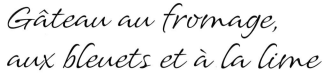

Gâteau au fromage, aux bleuets et à la lime

Donne **4 portions**   Préparation **25 minutes, plus le temps de faire les biscuits et au moins 3 heures de raffermissement**   Cuisson **40 minutes**

100 g/3½ oz de margarine sans produits laitiers, fondue, plus pour graisser

1 recette de Biscuits au gingembre (p. 83)

300 g/10½ oz/2 tasses de bleuets

550 g/1 lb/4 oz de fromage à la crème de soja

175 g/6 oz/1 tasse de fructose ou de sucre semoule

zeste et jus de 2 limes

4 œufs

1   Préchauffer le four à 180 °C/350 °F/gaz 4. Graisser un moule à gâteau à fond amovible de 20 cm/8 po de margarine sans produits laitiers et tapisser le fond de papier sulfurisé. Faire fondre la margarine dans une casserole à feu doux. Mettre les biscuits dans un robot culinaire et hacher jusqu'à l'obtention d'une chapelure fine. Ajouter à la margarine fondue et bien mélanger. À l'aide du dos d'une cuillère, presser le mélange uniformément dans le moule à gâteau. Couvrir des bleuets et réfrigérer 10 minutes.

2   Pendant ce temps, mélanger le fromage à la crème de soja, le sucre, le zeste et le jus de lime dans un robot culinaire jusqu'à la consistance lisse. Ajouter les œufs et mélanger jusqu'à l'obtention d'un mélange lisse et crémeux.

3   Verser le mélange au fromage sur les bleuets et enfourner de 30 à 35 minutes jusqu'à ce que le gâteau soit d'un brun doré et qu'il soit ferme au toucher. Éteindre le four et laisser le gâteau au fromage reposer dans le four 30 minutes.

4   Démouler délicatement le gâteau au fromage et laisser refroidir complètement. Réfrigérer de 3 à 4 heures jusqu'à ce qu'il soit complètement pris avant de servir.

Cette recette est excellente pour recevoir des amis. Faites le pouding la veille, et utilisez des ramequins individuels, pour créer un dessert époustouflant.

Pouding d'été

Donne **4 portions**   Préparation **15 minutes, plus le temps de faire le gâteau et au moins 12 heures de repos**   Cuisson **5 minutes**

750 g/1 lb/10 oz de fruits d'été, comme des framboises, des fraises, des bleuets et des groseilles

100 g/3½ oz/½ tasse comble de fructose ou de sucre semoule
1 recette de Gâteau aux amandes (p. 95)

1   Mettre les fruits et le sucre dans une casserole de taille moyenne et faire chauffer à feu moyen, en remuant de temps en temps, 5 à 6 minutes jusqu'à ce que les fruits soient tendres et que le sucre soit complètement dissous. Ne pas trop cuire. Retirer du feu et passer au tamis. Réserver les fruits dans un bol et le liquide dans un autre.

2   Trancher le gâteau en minces tranches sur la verticale à l'aide d'un long couteau tranchant. Retirer les croûtes et découper 3 tranches pour couvrir le fond de 4 ramequins ou moules à pouding de 175 ml/5½ oz/⅔ tasse. Presser délicatement dans les ramequins, pour couvrir le fond. Presser 3 à 4 tranches de plus dans chaque ramequin, pour complètement recouvrir les côtés.

3   Répartir les fruits dans les ramequins. Les remplir jusqu'au bord. Couvrir chaque ramequin d'une soucoupe et y déposer un poids lourd. Réfrigérer les ramequins toute la nuit ou au moins 12 heures. Réserver tout fruit restant, pour accompagner les poudings.

4   Retirer les poids et la soucoupe de chaque ramequin et les couvrir d'un plat de service à l'envers. Retourner les ramequins, pour démouler les poudings. Retirer les ramequins et verser le liquide de fruits réservé sur les poudings. Servir immédiatement accompagné des fruits restants, si désiré.

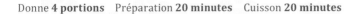

Ce délice fond littéralement dans la bouche! Dès la première bouchée, vous serez subjugué par son centre au chocolat riche et fondant.

Fondant au chocolat

Donne **4 portions**   Préparation **20 minutes**   Cuisson **20 minutes**

100 g/3½ oz de margarine sans produits laitiers, plus pour graisser

200 g/7 oz de chocolat noir sans produits laitiers à 70 % de solides de cacao, haché ou brisé en morceaux

2 œufs, plus 2 jaunes d'œuf

100 g/3½ oz/½ tasse comble de fructose ou de sucre semoule

30 ml/2 c. à soupe de farine de riz

30 ml/2 c. à soupe comble de farine de pois chiche

1   Préchauffer le four à 180 °C/350 °F/gaz 4 et graisser de margarine sans produits laitiers 4 moules à pouding de 175 ml/5½ oz/⅔ tasse. Mettre le chocolat au bain-marie. Faire chauffer, en remuant de temps en temps, jusqu'à ce que le chocolat ait fondu. Retirer du feu, ajouter la margarine sans produits laitiers et remuer jusqu'à ce qu'elle ait fondu. Laisser refroidir 10 minutes.

2   Pendant ce temps, battre les œufs et les jaunes d'œuf dans un grand bol à l'aide d'un batteur électrique. Ajouter le sucre et battre jusqu'à l'obtention d'une consistance épaisse et crémeuse. À l'aide d'une grande cuillère, incorporer le chocolat fondu. Y tamiser les farines et remuer, pour bien mélanger.

3   Répartir le mélange dans les moules à pouding et enfourner de 12 à 15 minutes jusqu'à ce que les gâteaux soient levés et fermes au toucher. Servir immédiatement.

Desserts

Les croustades sont si faciles à faire et elles sont un dessert fabuleusement santé à tout moment de l'année, que vous utilisiez des fruits d'hiver ou des fruits d'été.

Croustade aux pommes et aux baies

Donne **4 portions**   Préparation **15 minutes, plus le temps de faire la crème anglaise**
Cuisson **40 minutes**

50 g/1¾ oz de margarine sans produits laitiers

4 pommes, pelées, coupées en quartiers, évidées et coupées en gros morceaux

300 g/10½ oz/2 tasses de baies, comme des bleuets ou des mûres

45 ml/3 c. à soupe de miel clair

1 recette de Crème anglaise (p. 13)

GARNITURE À CROUSTADE :

150 g/5½ oz/¾ tasse comble de farine de riz

30 ml/2 c. à soupe de farine de maïs

30 ml/2 c. à soupe comble de farine de pois chiche

75 g/2½ oz/½ tasse rase de fructose ou de sucre semoule

100 g/3½ oz de margarine sans produits laitiers, réfrigérée et coupée en petits cubes

1 Préchauffer le four à 180 °C/350 °F/gaz 4. Faire fondre la margarine sans produits laitiers dans une casserole à fond épais à feu moyen. Ajouter les pommes et cuire, en remuant de temps en temps, 10 minutes. Ajouter les baies et le miel. Poursuivre la cuisson 5 minutes en remuant de temps en temps.

2 Pendant ce temps, faire la garniture de la croustade. Tamiser les farines dans un robot culinaire, ajouter le sucre et mélanger. Ajouter la margarine sans produits laitiers et mélanger jusqu'à ce que le mélange ressemble à une chapelure fine.

3 À l'aide d'une cuillère, déposer le mélange de fruits dans un plat à cuisson et parsemer de la garniture à croustade, en s'assurant de bien couvrir tous les fruits.

4 Enfourner de 20 à 25 minutes jusqu'à ce que le dessus soit doré. Retirer du four et servir immédiatement accompagné de la crème anglaise, si désiré.

Desserts

*Dans cette recette, j'ai utilisé du xylitol dans la meringue parce que le fructose
ne convient pas. Le xylitol donne une meringue délicieusement spongieuse, mais
si vous préférez la meringue croustillante classique, vous n'avez qu'à utiliser du
sucre semoule.*

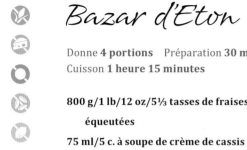

Bazar d'Eton

Donne **4 portions** Préparation **30 minutes, plus le temps de faire la crème de noix**
Cuisson **1 heure 15 minutes**

800 g/1 lb/12 oz/5⅓ tasses de fraises,
  équeutées
75 ml/5 c. à soupe de crème de cassis
35 g/1¼ oz/¼ tasse rase de fructose ou de
  sucre semoule
½ recette de Crème de noix de cajou (p. 13)

MERINGUE :
2 gros blancs d'œuf
100 g/3½ oz/½ tasse comble de xylitol ou de
  sucre semoule
2,5 ml/½ c. à thé d'extrait de vanille

1 Préchauffer le four à 140 °C/275 °F/gaz 1 et tapisser 2 plaques à pâtisserie de papier sulfurisé. Pour faire les meringues, battre les blancs d'œuf dans un grand bol propre à l'aide d'un batteur électrique jusqu'à la formation de pics fermes. Ajouter graduellement le xylitol et continuer de battre jusqu'à ce que le mélange soit brillant. Ajouter l'extrait de vanille.

2 À la cuillère, déposer le mélange à meringue sur les plaques à pâtisserie pour former 6 meringues. Bien les espacer. Enfourner 1 heure 15 minutes jusqu'à ce qu'elles soient légèrement dorées, les retirer du four et les laisser complètement refroidir sur une grille en métal.

3 Pendant que les meringues refroidissent, couper la moitié des fraises en quartiers et les placer dans un grand bol. Ajouter 45 ml/3 c. à soupe de crème de cassis, mélanger délicatement et laisser reposer 15 minutes.

4 Mettre le sucre, le reste des fraises et la crème de cassis dans un mélangeur et bien mélanger. Filtrer le mélange dans un tamis par-dessus un bol propre, pour faire un coulis.

5 Briser les meringues en bouchées et les déposer dans un grand bol. Incorporer délicatement la crème de noix de cajou aux fraises en quartiers et à la liqueur. Incorporer ce mélange aux meringues. À l'aide d'une cuillère, déposer le mélange dans des bols ou dans des verres, arroser du coulis aux fraises et servir.

Desserts

Ne vous laissez pas intimider par les soufflés. Ils sont faciles à faire, à condition que vous fouettiez les œufs minutieusement et que vous les fassiez cuire à la bonne température.

Soufflé au chocolat et aux bananes

Donne **4 portions**   Préparation **15 minutes**   Cuisson **20 minutes**

margarine sans produits laitiers, pour graisser

5 gros blancs d'œuf

100 g/3½ oz/½ tasse de fructose ou de sucre semoule

100 g/3½ oz de chocolat noir sans produits laitiers à 70 % de solides de cacao, brisé en petits morceaux

15 ml/1 c. à soupe de fécule de maïs

2 bananes

1   Préchauffer le four à 180 °C/350 °F/gaz 4 et graisser un plat à soufflé de 2 l/70 oz liq/8 tasses de margarine sans produits laitiers. Dans un bol propre, fouetter les blancs d'œuf à l'aide d'un batteur électrique jusqu'à la formation de pics fermes. Ajouter graduellement le sucre et continuer à fouetter jusqu'à ce que le mélange soit brillant.

2   Mettre le chocolat au bain-marie. Remuer de temps en temps jusqu'à ce que le chocolat ait fondu.

3   Mettre la fécule de maïs et 15 ml/1 c. à soupe d'eau dans un petit bol et remuer jusqu'à la consistance lisse. Incorporer au chocolat en fouettant à l'aide d'un batteur électrique jusqu'à l'homogénéité. Écraser les bananes, ajouter au chocolat et bien mélanger.

4   À l'aide du batteur électrique, incorporer un tiers des blancs d'œuf au mélange au chocolat jusqu'à ce que le tout soit bien mélangé. À l'aide d'une cuillère en métal, incorporer soigneusement le reste des blancs d'œufs et bien mélanger.

5   Verser le mélange dans le plat à soufflé et enfourner 15 minutes ou jusqu'à ce que le dessus du soufflé soit légèrement bruni et bien gonflé. Retirer du four et servir immédiatement.

Desserts

Les pistaches ont une texture magnifique et lorsqu'elles sont combinées à la vanille, elles ajoutent une touche de couleur et une saveur douce à cette crème dessert sans produits laitiers.

Crème dessert aux pistaches avec figues rôties

Donne **4 portions** Préparation **15 minutes, plus le temps de faire la crème de noix**
Cuisson **40 minutes**

1 recette de Crème de noix de cajou (p. 13)

2 gousses de vanille, coupées en 2 et graines retirées, ou 10 ml/2 c. à thé d'extrait de vanille

12 figues ou 4 grosses pêches

45 ml/3 c. à soupe de miel clair

4 gros jaunes d'œuf

100 g/3½ oz/½ tasse comble de fructose ou de sucre semoule

175 g/6 oz/1¼ tasse de pistaches, décortiquées et hachées finement

1 Préchauffer le four à 160 °C/315 °F/gaz 2-3. Mettre la crème de noix de cajou, les gousses et les graines de vanille, ou l'extrait de vanille, dans une casserole à fond épais et faire chauffer à feu doux 5 minutes. Remuer sans arrêt, pour s'assurer que le mélange ne brûle pas. Retirer du feu et jeter les gousses de vanille.

2 Mettre les figues dans un plat de cuisson et arroser du miel. Enfourner de 25 à 35 minutes jusqu'à ce qu'elles soient tendres. Retirer du four et réserver.

3 À l'aide d'un batteur électrique, battre les jaunes d'œuf et 75 g/2½ oz/½ tasse rase du sucre dans un grand bol à mélanger jusqu'à ce que le mélange soit épaissi et pâle. Incorporer la plupart des pistaches. En réserver quelques-unes pour la décoration. Ajouter le mélange de crème de noix et 170 ml/5½ oz liq/⅔ tasse d'eau et battre jusqu'à l'homogénéité.

4 Répartir le mélange dans 4 ramequins de 250 ml/9 oz liq/1 tasse et les déposer dans un gros plat à cuisson. Y ajouter de l'eau bouillante jusqu'à la mi-hauteur des ramequins. Enfourner 30 minutes, ou si de l'extrait de vanille a été utilisé au lieu de gousses 40 minutes, jusqu'à ce que les crèmes soient gonflées, fermes au toucher et commencent à dorer.

5 Parsemer du reste des pistaches et servir immédiatement accompagnées de figues.

J'ai utilisé de la crème de noix de cajou, pour ajouter une riche onctuosité et une légère saveur de noix, et des flocons d'agar-agar au lieu de gélatine pour figer la pannacotta.

Pannacotta aux fraises

Donne **4 portions**   Préparation **15 minutes, plus le temps de faire la crème de noix et 2 heures de réfrigération**   Cuisson **10 minutes**

400 g/14 oz/2⅔ tasses de fraises, équeutées

15 ml/1 c. à soupe de sirop d'agave

1 recette de Crème de noix de cajou (p. 13)

30 ml/2 c. à soupe de fructose ou de sucre
  semoule

1 gousse de vanille, coupée en 2 et graines
  retirées

10 ml/2 c. à thé de flocons d'agar-agar

1 Mettre les fraises dans un robot culinaire ou un mélangeur et mélanger de 2 à 3 minutes pour rendre en purée. Passer le mélange dans un tamis posé sur un bol propre, pour faire un coulis. Jeter la pulpe. Mettre la moitié du coulis dans un pot, y ajouter le sirop d'agave et bien mélanger. Réfrigérer jusqu'au moment d'utilisation.

2 Mettre le reste du coulis aux fraises dans une casserole et y ajouter la crème de cajou, le sucre, la gousse et les graines de vanille. Faire chauffer à feu doux 2 minutes, goûter et rajouter du sucre, au besoin. Saupoudrer les flocons d'agar-agar par-dessus et cuire 5 minutes, en remuant sans arrêt, jusqu'à ce que les flocons soient dissous. Retirer du feu, jeter la gousse de vanille et laisser refroidir environ 30 minutes.

3 Tapisser 4 ramequins de 175 ml/5½ oz/⅔ tasse de pellicule plastique. À l'aide d'une cuillère, déposer le mélange de pannacotta refroidi dans les ramequins et lisser les dessus avec le dos d'une cuillère en métal. Couvrir de pellicule plastique et laisser raffermir au réfrigérateur au moins 1½ heure. Renverser les ramequins sur des plats et retirer la pellicule plastique. Servir arrosé d'un filet du coulis restant.

Desserts

Voici une glace délicieusement subtile aux arômes de citronnelle acidulée, de feuilles de lime kafir et de jus de lime combinés aux mangues sucrées. Le secret de cette recette consiste à utiliser des mangues mûres à perfection.

Glace à la mangue

Donne **4 portions**   Préparation **25 minutes, plus 8 heures de congélation**   Cuisson **5 minutes**

500 ml/17 oz liq/2 tasses de crème de soja

75 g/2½ oz/½ tasse rase de fructose ou de sucre semoule

4 tiges de citronnelle

25 feuilles de lime kafir fraîches ou séchées

15 ml/1 c. à soupe de fécule de maïs

3 grosses mangues très mûres, plus des tranches de mangue supplémentaires pour accompagner

jus de 1 lime

1   Mettre la crème de soja, le sucre, la citronnelle et les feuilles de lime dans une casserole de taille moyenne et faire chauffer à feu doux juste sous le point d'ébullition. Laisser mijoter 2 minutes ou jusqu'à ce que le sucre soit dissous, en remuant fréquemment. À l'aide d'une cuillère trouée, retirer la citronnelle et les feuilles de lime et les jeter. Mélanger la fécule de maïs et 15 ml/1 c. à soupe d'eau dans un petit bol et remuer jusqu'à la consistance lisse. Ajouter à la crème de soja et fouetter de 2 à 3 minutes jusqu'à un léger épaississement. Retirer du feu et laisser complètement refroidir.

2   À l'aide d'un couteau tranchant, trancher la mangue des 2 côtés en évitant le noyau. À l'intérieur de chaque tranche, couper la chair en carrés en coupant jusqu'à la pelure, mais sans la percer. Retirer la chair à l'aide d'une cuillère. Peler le reste de la mangue et retirer la chair du noyau. Réserver quelques tranches, pour accompagner. Mettre le reste de la chair de mangue dans un mélangeur ou dans un petit robot culinaire et hacher jusqu'à la consistance lisse. Ajouter le jus de lime et bien mélanger.

3   À l'aide d'une grande cuillère, incorporer la crème de soja dans la mangue. Transférer le mélange dans une sorbetière et suivre les instructions du fabricant.

4   Autrement, transférer le mélange dans un grand contenant résistant au froid, mettre un couvercle et congeler 2 heures. Bien fouetter le mélange à l'aide d'un batteur électrique et remettre au congélateur. Congeler 2 heures de plus et fouetter encore. Congeler de 3 à 4 heures de plus jusqu'à ce que le mélange soit complètement congelé ou toute la nuit.

5   Retirer la glace du congélateur et laisser ramollir légèrement, de 10 à 15 minutes à température ambiante. Servir accompagnée de tranches de mangue.

Desserts

Concoctez ce dessert congelé diaboliquement riche et crémeux, et profitez des bienfaits du chocolat noir !

Semifreddo au chocolat

Donne **8 à 10 portions**   Préparation **20 minutes, plus 30 minutes de refroidissement et au moins 3 heures de congélation**   Cuisson **15 minutes**

300 g/10½ oz de chocolat noir sans produits laitiers à 70 % de cacao, haché ou cassé en petits morceaux, plus des copeaux de chocolat, pour décorer

100 g/3½ oz/½ tasse rase de miel clair
10 ml/2 c. à thé d'extrait de vanille
500 ml/17 oz liq/2 tasses de crème de soja
30 ml/2 c. à soupe de fécule de maïs

1   Mettre le chocolat dans un grand bol résistant à la chaleur et déposer le bol sur une casserole d'eau frémissante, en s'assurant que le fond du bol ne touche pas à l'eau. Remuer de temps en temps jusqu'à ce que le chocolat ait fondu. Incorporer le miel et l'extrait de vanille et bien mélanger. Retirer du feu et laisser refroidir.

2   Pendant ce temps, mettre la crème de soja dans une casserole de taille moyenne et faire chauffer à feu doux de 3 à 4 minutes jusqu'à ce que le mélange commence à bouillir. Mélanger la fécule de maïs et 30 ml/2 c. à soupe d'eau dans un petit bol et remuer jusqu'à la consistance lisse. Ajouter à la crème de soja et fouetter de 2 à 3 minutes jusqu'à un léger épaississement. Retirer du feu et verser le mélange dans le chocolat. Bien remuer et laisser de côté, pour refroidir complètement.

3   Tapisser un moule de 450 g/1 lb d'un grand morceau de pellicule plastique et y verser le mélange à semifreddo. Recouvrir de la pellicule plastique et congeler de 3 à 3½ heures ou toute la nuit jusqu'à ce qu'il soit pris.

4   Avant de servir, retirer le semifreddo du congélateur et laisser ramollir légèrement à température ambiante 10 à 15 minutes. Renverser le semifreddo sur une assiette et retirer la pellicule plastique. Trancher et servir parsemé de copeaux de chocolat.

Desserts

Index

Index